8723

D0315456

Maîtriser son endettement

des idées, des outils, des moyens

Robert Parthenais

Maîtriser son endettement

des idées, des outils, des moyens

Les Éditions
LOGIQUES

LOGIQUES est une maison d'édition reconnue par les organismes d'État res-
ponsables de la culture et des communications.

Nous remercions le Conseil des Arts du Canada, le ministère du Patrimoine
canadien et la Société de développement des entreprises culturelles du Québec
pour leur appui à notre programme de publication.

Gouvernement du Québec - Programme de crédit d'impôt pour l'édition de
livres - Gestion SODEC.

Nous reconnaissons l'aide financière du gouvernement du Canada par l'entremise du Programme d'Aide au Développement de l'Industrie de l'Édition
(PADIÉ) pour nos activités d'édition.

Révision linguistique: Cassandre Fournier
Mise en pages: Composition Monika, Québec
Graphisme de la couverture: Christian Campana

Distribution au Canada:

Québec-Livres, 2185, autoroute des Laurentides, Laval (Québec) H7S 1Z6
Téléphone: (450) 687-1210 • Télécopieur: (450) 687-1331

Distribution en France:

Casteilla/Chiron, 10, rue Léon-Foucault
78184 Saint-Quentin-en-Yvelines
Téléphone: (33) 01 30 14 19 30 • Télécopieur: (33) 01 34 60 31 32

Distribution en Belgique:

Diffusion Vander, avenue des Volontaires, 321, B-1150 Bruxelles
Téléphone: (33-2) 761-1216 • Télécopieur: (32-3) 761-1213

Distribution en Suisse:

Diffusion Transat s.a., route des Jeunes, 4 ter, C.P. 1210, 1211 Genève 26
Téléphone: (022) 342-7740 • Télécopieur: (022) 343-4646

Les Éditions LOGIQUES   '
7, chemin Bates, Outremont (Québec) H2V 1A6
Téléphone: (514) 270-0208 • Télécopieur: (514) 270-3515

Maîtriser son endettement

© Les Éditions LOGIQUES inc., 2001
Dépôt légal: Quatrième trimestre 2001
Bibliothèque nationale du Québec
Bibliothèque nationale du Canada

ISBN: 2-81381-778-5
LX: 888

Je dédie cet ouvrage à tous les jeunes et moins jeunes qui auraient aimé acquérir tôt, dans la vie, de bonnes habitudes de saine gestion. Si vous croyez qu'il n'est pas trop tard, je vous invite à me prendre par la main pour que nous puissions faire un petit bout de chemin ensemble.

Un ami, un guide...

L'auteur tient à remercier tous les gens qui ont collaboré à la réalisation de cet ouvrage.

Pour contacter Robert Parthenais:
parthrob@total.net

Sommaire

Introduction

Pourquoi j'ai décidé d'écrire ce livre

Sans vouloir nier l'apport éducatif de mes proches dans ma tendre enfance, je dirais que l'histoire de ma vie financière débuta vraiment durant ma dernière année d'école normale. Lors d'une journée pluvieuse, je décidai de sécher mes cours et me rendis au restaurant du coin pour siroter un café. Il était presque huit heures du matin et toutes les banquettes étaient encore occupées. Un monsieur d'une soixantaine d'années, petit, chauve et bedonnant se leva et me fit signe de la main. D'abord, nous avons parlé de tout et de rien, puis la conversation aboutit, j'ai oublié pour quelle raison, sur la façon de gérer ses finances personnelles. «Robert, me dit-il avec un fort accent, il est facile de gagner de l'argent mais bien plus difficile de le conserver. Pour moi, le secret consiste à payer comptant pour tous les biens de consommation et de n'utiliser le crédit que pour l'achat de biens susceptibles de prendre de la valeur. Un autre bon moyen est de vivre au-dessous de tes moyens. Ainsi, tu fais toujours comme si tes revenus étaient de 10 % inférieurs et tu places la différence.» Cette rencontre m'a marqué pour la vie. Aujourd'hui, je suis reconnaissant à ce sage qui m'a permis de construire une belle qualité de vie et d'être devenu indépendant financièrement très tôt dans la vie.

En toute sincérité, je dois vous avouer qu'au début je me sentais souvent marginal dans ma façon d'agir. Le crédit à la consommation s'avérait alors en pleine expansion, et les incitations pour l'utiliser se faisaient de plus en plus sophistiquées et omniprésentes. Très vite, j'ai décidé de limiter le nombre de mes cartes de crédit, d'en réduire les limites et de les acquitter à la fin de chaque mois. Au lieu d'utiliser une marge de crédit, je me suis constitué un fonds de roulement ainsi qu'un fonds d'urgence. Ces fonds aussitôt consolidés devaient se maintenir et se régénérer. Quant aux prêts d'argent, j'évitais d'en demander et je souscrivais plutôt à des produits d'épargne afin de capitaliser pour réaliser mes projets. Cependant, je ne suis qu'un être humain et j'admets que, durant les premières années de ma vie active, il m'est arrivé d'emprunter. Mais avec les années, l'accumulation des 10 % d'épargne m'a permis de me dégager complètement du crédit à la consommation. Au fait, avez-vous déjà calculé ce qu'il vous en coûte en intérêts et frais par année pour l'utilisation du crédit?

Doit-on payer ses dettes avant de commencer à épargner? Cette question m'est souvent posée par des jeunes qui arrivent sur le marché du travail. «L'épargne, c'est la liberté!» affirmait récemment une institution financière dans sa publicité. Je crois que, tout comme il est important de prendre très tôt de bonnes habitudes quant au crédit, il en est de même pour l'épargne. Je suggère que l'on commence à épargner dès que l'on reçoit un revenu. Cette habitude de vie devrait s'acquérir le plus tôt possible. Alors, pour les personnes qui commencent à travailler et qui ont des dettes, je recommande de faire place aux deux: remboursez vos dettes de façon raisonnable et laissez une place dans votre budget pour développer l'habitude de l'épargne. Toutefois, épargner se révèle difficile. Pour y arriver, il faut en plus de la discipline se donner des moyens et se fixer des objectifs auxquels on croit.

Vous l'avez sûrement deviné: dans ce livre, je tenterai de vous sensibiliser aux aspects positifs du non-endettement ainsi que de vous convaincre des nombreux avantages d'épargner régulièrement.

Ce livre se veut un ouvrage pratique. Nous verrons donc comment il est possible d'utiliser judicieusement le crédit et d'augmenter son niveau d'épargne. Pour cela, il faudra se donner des outils de gestion efficaces. Nous aborderons donc les éléments clés de la gestion budgétaire, ainsi que les diverses étapes de sa mise en application.

Depuis plus de cinq ans, je concentre mes activités professionnelles sur les programmes d'aide aux employés. Mon travail consiste à intervenir auprès de personnes qui éprouvent des difficultés financières, ainsi qu'auprès de celles qui désirent améliorer leur qualité de vie en modifiant leur rapport à l'argent. Riche d'une expérience de plus de trente ans dans le domaine des finances personnelles, je souhaite humblement vous proposer de nouvelles avenues afin de vous permettre de découvrir les nombreux bénéfices d'une gestion de vos finances plus efficace.

Si vous lisez cette introduction, cela signifie que vous êtes déjà en processus de changement. Je vous invite à poursuivre la lecture de cet ouvrage et, qui sait, peut-être celui-ci changera-t-il le cours de votre vie...

Chapitre 1

Parlons d'endettement

L'endettement: un phénomène socioculturel

Au Québec, en l'an 2001, l'endettement est une réalité avec laquelle nous vivons au quotidien. Nous sommes déjà bien loin de l'époque où nos parents ou grands-parents payaient tout en argent comptant et considéraient l'usage du crédit comme humiliant.

Comme tout changement de valeurs à travers le temps, n'avons-nous pas tendance à nous diriger vers les extrêmes avant d'y trouver notre équilibre? Nos façons de faire dans une société où tout bouge très rapidement ont été considérablement modifiées. Il en est de même de notre manière de consommer.

Aujourd'hui, nous n'avons plus la patience d'économiser avant d'acquérir le bien convoité. C'est l'instantanéité qui prévaut. Dans ce processus, nous oublions souvent que nos ressources financières sont limitées. C'est ainsi que nous hypothéquons graduellement nos revenus futurs. Dans cette spirale, si nous n'y prenons garde, nous risquons, avec le temps, d'amenuiser notre qualité de vie, et ce, pour plusieurs années à venir.

Il apparaît que nous sommes une des générations les plus endettées depuis belle lurette. L'endettement se révèle de plus en plus comme un phénomène socioculturel, et rares sont ceux qui semblent y échapper.

Statistiques sur l'endettement

Depuis la promulgation en 1967 de la Loi sur les banques, les consommateurs n'ont cessé d'accroître leur taux d'endettement. Selon les données provenant de la Confédération des Caisses populaires et d'économie Desjardins du Québec, le taux d'endettement du consommateur québécois atteignait près de 81,6 % de son revenu disponible en 1999. Nous entendons, par revenu disponible, le revenu brut des ménages moins les impôts des particuliers aux deux paliers de gouvernement.

La courbe (page 21) nous montre l'évolution du taux d'endettement depuis 1975. Les pourcentages incluent l'endettement à la consommation, ainsi que l'endettement hypothécaire. Pour simplifier la compréhension, disons que ces pourcentages représentent, pour l'ensemble de la population active du Québec, ce qui est requis après impôts pour rembourser le capital et l'intérêt sur la dette.

À première vue, si nous essayons d'interpréter cette figure, nous comprenons que, en moyenne, pour chaque Québécois il en coûte quatre-vingts cents par dollar pour rembourser la dette. Alors, nous pouvons constater qu'il ne reste plus grand-chose pour vivre! Cela pourrait-il laisser croire que nous empruntons pour rembourser nos dettes ou encore que nous empruntons sans rembourser le capital?

À partir de quand y a-t-il surendettement?

Avant de parler de surendettement, il m'apparaît important de définir ce que l'on entend par endettement. Le dictionnaire Larousse en donne une définition courte et précise: «L'endettement, c'est l'action de s'endetter». Nous pouvons en déduire que toute personne qui contracte une dette est endettée. Cependant, nous avons souvent tendance à considérer qu'une personne endettée est une personne qui

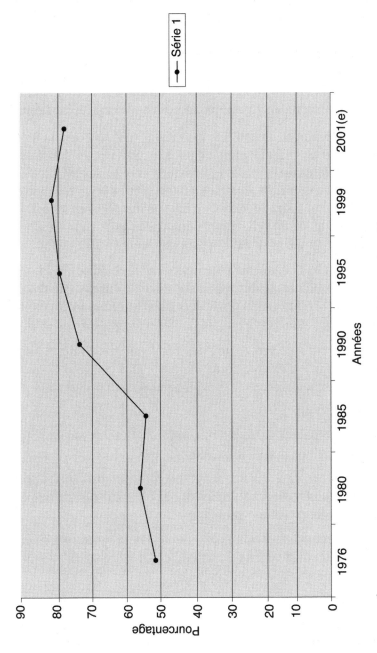

Figure 1 Évolution du taux d'endettement au Québec – (e) = estimation

éprouve des difficultés financières. À mon avis, ce n'est pas le cas. Il est possible d'avoir des dettes sans pour autant éprouver de difficulté financière. À partir du moment où nous sommes confrontés à des difficultés financières à cause de nos dettes, nous devrions parler de surendettement et non d'endettement. Considérons différentes approches pour mieux comprendre ce qu'est le surendettement.

La meilleure définition que nous retenons est la suivante: «Le surendettement, c'est l'incapacité de satisfaire aux nécessités de la vie, une fois que nous avons acquitté le remboursement de nos dettes.» Nous visons ici le remboursement selon les modalités contractuelles. Bien entendu, la situation de surendettement peut varier parce que les nécessités de la vie varient d'une personne à l'autre.

Selon le Bureau du Surintendant des faillites, il existe un réel problème de dettes, c'est-à-dire de surendettement, à partir du moment où vous dépensez toujours plus que le permet votre budget:

- vous utilisez vos cartes de crédit par nécessité et non parce que c'est pratique;

- vous empruntez toujours de l'argent pour joindre les deux bouts;

- d'une paie à l'autre, votre salaire a été saisi pour acquitter des dettes impayées;

- vous payez les intérêts et les frais d'administration mensuels sans réduire le capital emprunté sur une période de plusieurs mois;

- les créanciers vous pressent de les rembourser, vous menacent de poursuite ou de confisquer votre voiture, vos meubles, votre téléviseur;

- les créanciers emploient les services d'une entreprise de recouvrement;

- les compagnies de services publics coupent leurs services, parce que vous ne payez pas vos factures.

Afin de déterminer votre capacité à assumer vos engagements financiers lorsque vous empruntez auprès d'une
institution financière, celle-ci utilise des critères qui lui sont
propres. Parmi ceux-ci, retenons :

- votre historique de crédit ;
- votre capacité à respecter l'ensemble de vos engagements financiers ;
- votre avoir net (actif moins passif) ;
- votre stabilité d'emploi et votre situation familiale.

Ces critères peuvent varier d'une institution à l'autre et
votre prêteur a le privilège de se servir de son pouvoir dis-
crétionnaire, tout en tenant compte d'autres facteurs susceptibles de «fermer ou d'ouvrir le robinet».

Parmi l'ensemble des critères énumérés précédemment, un des plus importants est votre capacité à respecter
l'ensemble de vos engagements financiers. Il s'agit du rapport entre vos engagements financiers mensuels et vos revenus bruts mensuels, rapport connu sous l'appellation de
ATD, c'est-à-dire l'amortissement total de la dette. Ce rapport se définit en pourcentage et permet aux institutions financières de déterminer votre niveau d'endettement, ainsi
que votre capacité à assumer vos engagements financiers.
Voyons comment se calcule l'ATD.

Tableau 1
L'amortissement total de la dette

$$\frac{\text{Engagements financiers mensuels totaux X 100 \%}}{\text{Revenus mensuels bruts}} = \text{Amortissement total de la dette}$$

Description des engagements financiers mensuels

- Coût du loyer (capital, intérêts, frais communs);
- Taxes (foncières, scolaires, etc.);
- Autres dettes, impôts, emprunts à des particuliers ou endossements;
- Remboursement de cartes de crédit et des marges de crédit;
- Pension alimentaire exigible ou coûts relatifs aux personnes à charge (frais de garde);
- Contrats de location.

Description des revenus bruts mensuels

- Salaires;
- Commissions, pourboires;
- Revenus d'appoint;
- Revenus de placements;
- Revenus de pension, RRQ, PSV, SAAQ;
- Pension alimentaire;
- Allocations de chômage;
- Revenus de profession ou d'entreprise, etc.

Le barème de l'ATD utilisé par les institutions financières pour l'obtention de crédit varie selon les politiques de chacune d'elles. L'ATD semble osciller entre 34 % et 40 %. Cependant, mon opinion est que l'ATD ne devrait pas dépasser un taux de 30 %, afin de permettre une plus grande marge de manœuvre pour l'ensemble des autres dépenses budgétaires essentielles.

Calcul de l'ATD de la famille «Étouffée par les Dettes»

La famille «Étouffée par les Dettes» rencontre son conseiller afin d'obtenir un prêt de 3 000 $ pour l'achat d'un forfait-vacances dans le Sud.

Voici les informations retenues par le conseiller afin de déterminer l'ATD:

remboursement mensuel de l'hypothèque	747,44 $
taxes sur base mensuelle	199,37 $
remboursement mensuel, emprunt de Monsieur	618,73 $
limite des cartes de crédit, Monsieur et Madame	6 000 $
limite de marge de crédit, Monsieur et Madame	5 000 $
revenu brut mensuel de Madame	1 733,33 $
revenu brut mensuel de Monsieur	2 800 $

Voyons comment le conseiller procédera pour établir l'ATD de la famille «Étouffée par les Dettes».

Tableau 2
Calcul de l'ATD

HYP. MENS.	+	TAXES	+	EMPR. PERS.	+	LOC. AUTO	+	CARTES CRÉDIT	+	MARGE CRÉDIT	+	PENSION ALIM.	
747,44	+	199,37	+	618,73	+			300^1	+	150^2	+		= 2 015,57 $ = 44,4 %

1733,33 $	+	2800 $		= 4 533,33 $
REVENU BRUT MENSUEL	+	REVENU BRUT MENSUEL		
DE MADAME		DE MONSIEUR		

L'ATD de la famille «Étouffée par les Dettes» se situe à 44,4 %, ce qui représente un taux d'endettement très élevé. Compte tenu de ce taux, aucune institution financière respectable ne devrait accepter de prêter la somme de 3 000 $ pour la réalisation du projet forfait-vacances dans le Sud. Pour ma part, je soutiens que le taux d'endettement de la famille «Étouffée par les Dettes» ne devrait pas dépasser 30 %. Dans ces conditions, il lui est impossible d'obtenir un prêt d'une institution bancaire. Bien sûr, si notre famille s'entête à vouloir obtenir ce prêt à tout prix, elle se trouvera probablement un prêteur qui prendra le risque, mais... à quel taux d'intérêt?

---

1. Ce montant représente 5 % de l'ensemble des limites de crédit.
2. Ce montant représente 3 % de la limite de la marge de crédit.

Selon la formule de l'ATD retenue, nous pouvons constater que le surendettement varie d'une institution à une autre. Cependant, pour la majorité, l'on s'entend pour dire qu'un taux de 40 % et plus s'avère problématique.

Autoportrait du lecteur

Afin de mieux prendre conscience de votre situation financière, je vous propose deux courts exercices. Le premier, «Auto-évaluation de mes habiletés à gérer mon endettement», vérifie votre tendance à l'endettement, tandis que le deuxième, «Votre amortissement total de la dette», vous permet d'obtenir le pourcentage de votre endettement à partir d'un outil utilisé par les institutions financières.

Alors, plongez! Pour obtenir des résultats plus réalistes, répondez spontanément au premier exercice et prenez le risque de dire «la vérité, toute la vérité». Pour le deuxième exercice, vous aurez besoin de vos documents personnels afin de remplir le questionnaire avec précision.

Auto-évaluation de mes habiletés
à gérer mon endettement

	Vrai	Faux
1. J'épargne systématiquement un minimum de 5 à 10 % de mon revenu annuel brut.	❏	❏
2. J'utilise un système de gestion budgétaire qui me permet de planifier et de contrôler mes dépenses.	❏	❏
3. J'ai constitué un fonds de roulement[3] qui représente près d'une fois mon revenu mensuel net.	❏	❏
4. J'ai constitué un fonds d'urgence[4] qui représente entre une fois et deux fois mon revenu mensuel net.	❏	❏
5. Je connais mon taux d'endettement (ATD)[5] et le contrôle très bien.	❏	❏
6. Quand j'ai besoin d'un emprunt personnel, je fais un budget et vérifie ma capacité de rembourser avant d'emprunter.	❏	❏
7. Je n'utilise pas de marge de crédit pour l'achat de biens de consommation ou pour pallier l'absence d'un fonds de roulement.	❏	❏
8. Je rembourse le solde de mes cartes de crédit tous les mois, sauf pour de très rares exceptions.	❏	❏
9. Lorsque j'utilise les achats à paiements différés, je paye comptant à l'échéance.	❏	❏
10. Je rédige mon bilan financier une fois par année.	❏	❏

---

3. Total des liquidités dans vos comptes en banque afin de gérer votre budget.
4. Total des liquidités en plus du fonds de roulement ayant pour objet de gérer les situations d'urgence.
5. Rapport utilisé par les institutions prêteuses afin de déterminer votre taux d'endettement.

Évaluation des résultats
(auto-évaluation de mes habiletés)
Comptez le nombre de réponses cochées
dans la colonne «Vrai»

Mon résultat: _____ / 10

7 et plus   Félicitations! Vous êtes un as de la gestion. Vous maîtrisez sûrement très bien votre endettement et êtes probablement un bon épargnant.

5 et plus   Vous vous en tirez bien pour l'instant, mais vous avez probablement tendance à l'endettement et beaucoup de difficultés à épargner. (Attention: feu jaune!)

4 et moins   Vous êtes un candidat potentiel au surendettement et votre capacité d'épargner est presque nulle. (Attention: feu rouge!)

Autocritique: _____

_____

_____

_____

_____

_____

_____

Ce que je désire changer: _____

_____

_____

_____

_____

_____

_____

Tableau 3

Votre amortissement total de la dette[6]

HYP. MENS.	+	TAXES	+	EMPR. PERS.	+	LOC. AUTO	+	CARTES CRÉDIT	+	MARGE CRÉDIT	+	PENSION ALIM.			
	+		+		+		+		+		+	=	$ =	%	
$	+				$								$		
REVENU BRUT MENSUEL DE MADAME		+			REVENU BRUT MENSUEL DE MONSIEUR										

Votre amortissement total de la dette (ATD)

Mon résultat: _____ %

Votre pourcentage de l'ATD est-il raisonnable? À vous d'en juger. Ci-dessus, un tableau qui vous permettra de formuler votre autocritique.

De 0 % à 30 %: endettement raisonnable
31 % à 35 %: endettement élevé (surendettement)
40 % et plus: endettement critique

Autocritique: _____

_____

_____

_____

_____

Ce que je prévois changer: _____

_____

_____

_____

_____

---

6. La méthode de calcul de l'ATD proposée ci-dessus peut varier quelque peu d'une institution à l'autre. Afin d'avoir une idée plus précise de votre ATD, informez-vous auprès d'un conseiller de votre institution financière.

Chapitre 2

Les pièges incitant à l'endettement

Quelques pièges incitant à l'endettement

Avant d'amorcer ma réflexion sur ce sujet, je n'avais pas idée à quel point les pièges incitant à l'endettement pouvaient être nombreux. Après seulement une dizaine de minutes de remue-méninges avec mon copain syndic, nous en avions déjà répertorié une bonne vingtaine. Pour les besoins de ce chapitre, je n'ai retenu que ceux que je considère les plus importants. J'ai classé l'ensemble des pièges retenus en trois groupes: la gestion des ressources (gestion budgétaire), la gestion de la dette et la gestion des émotions. Voici donc quelques pièges dans lesquels tout consommateur est susceptible de se laisser prendre.

Description des pièges
La gestion des ressources

- Le financement d'un bien ou d'un service sans considération de l'impact sur le budget personnel ou familial.

- L'engagement dans une dépense importante basé sur l'expectative d'un gain imminent ou d'une rentrée de fonds éventuelle.

- L'absence d'épargne systématique.

La gestion de la dette

- La tentation d'obtenir du crédit en omettant de déclarer toutes les informations sur sa situation financière.

- Le programme gouvernemental qui permet l'accès à une garantie hypothécaire à partir d'un dépôt en argent comptant de 5 % (SCHL).

- L'utilisation de cartes de crédit sans planification.

- L'utilisation d'une marge de crédit par un particulier.

- Les achats à paiements différés.

- La sollicitation des compagnies de prêts aux consommateurs.

- La sollicitation des fournisseurs de crédit auprès des étudiants universitaires.

La gestion des émotions

- La publicité.

- Le syndrome du voisin gonflable.

- L'achat pour compenser ou combler une frustration.

Les pièges incitant à l'endettement (Exercice)

Vous êtes sûrement en mesure d'ajouter plusieurs autres pièges, et ce, sans trop de difficulté. Je vous invite à dresser votre propre liste ci-dessous.

_____

_____

_____

_____

_____

_____

_____

Nous avons déjà répertorié les pièges incitant à l'endettement à l'intérieur de trois catégories: la gestion des ressources (gestion budgétaire), la gestion de la dette ainsi que la gestion des émotions. De plus, vous avez sûrement contribué à élargir la liste, suite au dernier exercice. Faisons maintenant un survol de l'ensemble de ces pièges par catégorie.

Survol de l'ensemble des pièges répertoriés

La gestion des ressources (gestion budgétaire)

L'absence de gestion budgétaire est sûrement un des plus grands pièges qui guettent le consommateur. Avant d'engager une dépense importante en argent comptant ou à crédit, le consommateur devrait toujours évaluer les impacts de sa décision sur ses finances personnelles. Ainsi, lorsqu'on utilise le crédit pour le financement d'un bien ou d'un service, on devrait chaque fois effectuer une planification budgétaire annuelle afin de vérifier de quelle façon les nouveaux engagements financiers pourront s'intégrer ou non dans le budget.

Une dépense importante ne devrait jamais être engagée dans l'expectative d'un gain imminent ou d'une rentrée de fonds éventuelle. Une décision d'achat précipitée peut s'avérer désastreuse dans le cas où les fonds n'entrent pas comme prévu. Donc, dans ce genre de situation, attendre avant d'acheter sera un signe de maturité et de sagesse. Un proverbe connu illustre très bien cette situation: «Ne pas vendre la peau de l'ours avant de l'avoir tué».

Un autre piège pouvant entraîner l'endettement réside dans l'absence d'épargne systématique. Nous considérons que, pour la grande majorité des individus, il est impensable d'envisager la croissance financière sans épargne systématique. Bien pire, sans croissance financière, c'est presque, à coup sûr, la décroissance qui vous guette. L'épargne systématique est un antidote à l'endettement. Nous verrons dans le chapitre 7 que l'épargne est un moyen essentiel pour atteindre la croissance financière et, par conséquent, un outil pour mieux contrôler l'endettement.

La gestion de la dette

Il est parfois déconcertant d'observer à quel point obtenir du crédit est facile. Pour bien des consommateurs, l'offre de la part de fournisseurs de crédit rime avec bon dossier et capacité de faire face aux nouvelles obligations financières. Mais attention! C'est loin d'être le lot d'un grand nombre de consommateurs endettés. À titre d'exemple, je vous citerai le cas de cet étudiant universitaire de deuxième année qui détenait dix cartes de crédit avec un solde total de près de 17 000 $. Il procédait au paiement de ses cartes de crédit en faisant du «kiting»[1]. Lorsque ses créanciers sont devenus trop insistants, il s'est présenté chez un syndic pour y déclarer faillite. Cet étudiant a profité du crédit préapprouvé sans aucune preuve de revenus.

Un autre exemple de la facilité avec laquelle il est possible d'accéder au crédit est le programme gouvernemental qui permet l'accès à une garantie hypothécaire moyennant un dépôt de 5 % en argent comptant. Jusqu'à aujourd'hui, j'ai constaté que la majorité des clients rencontrés en consultation qui ont eu accès à la propriété avec un dépôt de 5 % éprouvent des difficultés à respecter leurs obligations financières.

Nombre de consommateurs tombent dans le piège de l'endettement en utilisant de façon excessive les différents moyens d'obtenir du crédit. Parmi ces moyens, notons plus particulièrement:

– les cartes de crédit;

– les marges de crédit;

– les achats à paiements différés.

---

1. Le «kiting» consiste à emprunter sur une carte afin d'effectuer le paiement sur une autre.

Nous aborderons l'utilisation des cartes de crédit ainsi que des marges de crédit dans le chapitre 5. Quant aux achats à paiements différés, le problème qui guette la plupart des consommateurs est l'oubli du remboursement à l'échéance, ainsi que les conséquences qui s'ensuivent. Si vous n'avez pas eu la prévoyance d'économiser les sommes requises aux paiements, vous risquez de vous retrouver à l'échéance avec un financement dont les taux d'intérêt avoisinent les 30 %. Saviez-vous que certaines personnes qui utilisent peu le crédit à la consommation peuvent essuyer un refus pour ce type de promotion? En effet, ces consommateurs emploient peu le crédit à la consommation et représentent de «mauvais clients» pour ce genre de promotion. Attention! Les achats à paiements différés sont des traquenards, car plus des deux tiers des consommateurs ne remboursent pas leurs achats à l'échéance. Alors, attendez-vous à vous endetter encore davantage.

La gestion des émotions

Les émotions prennent une place importante dans nos décisions de consommation. Prenez le temps de lire ou d'écouter attentivement les publicités et vous verrez à quel point les publicitaires savent toucher nos cordes sensibles. Les publicités peuvent devenir pour vous des pièges incitant à la consommation si vous gérez mal vos émotions et ne faites pas suffisamment appel à votre raison.

À titre d'exemple, voici quelques publicités écrites concernant différents instruments de crédit:

Je prends le large avec ma marge...

Offrez-vous un été de liberté avec la marge de crédit personnelle. L'été se fait attendre... Raison de plus d'en profiter avec la marge de crédit de la Banque... Vous pouvez vous offrir des vacances de rêve ou encore réaliser le projet estival qui vous tient tant à cœur. Pourquoi remettre à demain ce qu'on peut faire aujourd'hui? Demandez votre marge de crédit personnelle maintenant et... prenez le large!

M. Pierre Langevin

Félicitations! Une carte classique .... **– Visa a été PRÉAP-PROUVÉE à votre nom.** Vous n'avez qu'à apposer votre signature sur la formule d'acceptation et nous vous ferons parvenir une carte classique ....-Visa assortie d'une limite de 3 500 $. Et vous n'avez même pas besoin d'être client de la Banque ... pour accepter cette offre.

Cher client/Chère cliente,

Que feriez-vous avec 1 000 $ aujourd'hui?

Étant donné que vous comptez parmi nos meilleurs clients, nous mettons à votre disposition 1 000 $ que vous pouvez utiliser à votre guise.

- «Adieu soucis». Vous souhaitez acquitter vos factures et vos comptes de cartes de crédit? Un prêt «Adieux soucis» des .... vous le permet en un seul paiement mensuel facile*, qui pourrait même être moindre que le montant total que vous déboursez en ce moment!

- C'est votre choix. Vous pourriez faire réparer l'auto, prendre des vacances, repeindre la maison... De l'argent comptant pour vos besoins.

Pour faire votre demande de prêt, vous n'avez qu'à présenter le certificat de prêt ci-dessus dans une période ne dépassant pas 45 jours. Vous pouvez aussi me joindre personnellement par téléphone. Vous n'aurez ensuite qu'à venir prendre possession du montant en argent comptant.

Il nous fait plaisir de faire affaire avec vous.

C'est pourquoi nous vous offrons ce service personnel spécial.

Cordialement,

Votre équipe des ....

P.-S. Si vous souhaitez obtenir plus de 1 000 $, n'hésitez pas à m'en faire part. Si vous êtes admissible, nous nous assurerons que vos paiements seront à la portée de votre budget.

Tous les prêts sont assujettis aux approbations de crédit habituelles.

---

* Exemple: Pour un prêt de 1 000 $, vos paiements mensuels de remboursement se chiffreront à 98,97 $, étalés sur 12 mois. Le montant total à payer est de 1 196,43 $, incluant l'intérêt de 196,43 $.

Comme vous pouvez le constater, les fournisseurs de crédit veulent votre bien. Alors, soyez vigilant et évitez de souscrire à du crédit comme s'il s'agissait d'un bien de consommation courant. Un dernier petit conseil: fuyez à tout prix les compagnies de prêts aux consommateurs car, tôt ou tard, elles auront probablement votre bien et peut-être votre peau.

Un autre piège à la consommation est le «syndrome du voisin gonflable». Cette expression décrit bien l'augmentation de consommation qui se propage chez les propriétaires de maisons unifamiliales, et cela, plus particulièrement dans les nouveaux développements. Remarquez l'escalade entre les premiers et les derniers qui aménagent leur terrain ainsi que les premiers et les derniers qui achètent une piscine. L'article ci-dessous de Guy Fournier, paru dans *Le Soleil* du 4 mai 2001, illustre avec beaucoup d'humour le syndrome du voisin gonflable.

Mes damnés voisins

Si j'ai bien compris, vous considérez que j'ai déjà trop emprunté? Mon directeur de caisse fit signe que oui en me rappelant qu'en janvier il avait financé l'achat de ma Mercedes. Même si j'achetais la plus minable, il considérait que c'était une voiture au-dessus de mes moyens.

«Et les Lavoie, eux autres?
– Quels Lavoie?
– Les miens...»

L'hypocrite, il fit mine de ne pas comprendre!

Aux premiers beaux jours de l'an dernier, quand les Lavoie, mes voisins, achetèrent leur maison (sûrement avec une grosse hypothèque de la caisse), pour leur être agréable, nous les avons invités à goûter mon steak sur le gril. Des filets mignons en plus. Si seulement j'avais su...

Moins d'une semaine plus tard, comme je sortais prendre une bouffée d'air frais, une sorte d'odeur d'ail et de beurre grillé me monta aux narines. Les Lavoie, en compagnie des Mailloux, mes voisins de droite, attendaient que cuisent de gros steaks (des faux-filets, par exemple...) sur un énorme barbecue au gaz propane.

M'approchant avec discrétion de ma haie de cèdre, je vis que ce monstre (sûrement acheté à crédit) était pourvu d'un thermostat, d'une minuterie électronique, d'un thermomètre à viande et surtout d'une soufflerie qui soufflait toute la boucane de mon côté!

Je courus à la maison raconter cette félonie à ma femme. Quand je pense que nous avions eu la gentillesse de les recevoir et qu'ils nous chipaient maintenant nos voisins avec qui nous nous entendons le mieux!

«Achète un autre barbecue!
– Mon budget d'été est déjà défoncé.
– Et la caisse? Ils sont là pour nous aider...»

Elle n'avait pas tort puisque le directeur augmenta ma marge de crédit. J'achetai un superbe barbecue en stainless avec tous les contrôles automatiques, des accessoires en stainless aussi et un service de vaisselle tout neuf, exprès pour l'extérieur. J'ai récupéré l'amitié des Mailloux, mais je n'ai jamais réinvité les Lavoie.

Savez-vous ce qu'ils ont fait, l'automne dernier? Ils ont acheté un spa!

Je n'arrive pas encore à comprendre comment ils ont pu emprunter pour ce spa muni d'un ozonateur électronique, d'un ensemble d'éclairage de fibres optiques et même d'une commande à distance! Pour me narguer, ils l'ont installé juste à la limite de mon terrain avec le drain qui déverse son eau sur le mien. Même s'ils n'aiment pas les Lavoie plus que nous, c'est évident que les Mailloux n'ont pu résister à l'appel du spa.

En janvier et en février, il y avait de la neige haut comme ça et, presque tous les soirs, les Lavoie trempaient dans leur spa avec les Mailloux. Je ne les voyais pas tellement une vapeur dense s'échappait du spa, mais je les entendais rire tout fort chaque fois que j'entrebâillais la porte ou une fenêtre.

«Attends le printemps prochain, dis-je à ma femme, nous aussi, on va avoir un spa.»

Aussitôt la neige fondue – et Dieu sait qu'elle en a mis du temps à disparaître, cette année –, on est venu installer mon spa. Tout un spa! Huit pieds sur huit, de la place pour sept personnes, deux sièges longs, des bouches d'aérateur en stainless, un pont en cèdre tout le tour avec des lampadaires aux quatre coins. J'ai hâte de voir la face des Lavoie quand je vais le vider sur leur terrain: 420 gallons d'eau, quasiment deux fois plus que le leur...

Mon spa fonctionne depuis quinze jours et les Mailloux l'ont adopté. Comme j'en étais sûr, ils ont mis une croix sur celui des Lavoie.

«Ça lui apprendra à faire le coq, dis-je à ma femme, un soir que j'observais Lavoie faire trempette solitaire dans son spa de misère.»

Mercredi, lorsque je suis arrivé à la maison, ma femme était dans tous ses états et le terrain des Lavoie sens dessus dessous.

«Veux-tu que je t'en apprenne une bonne, lança ma femme en fulminant. Les Lavoie se font construire une piscine. Une piscine et un spa, pas besoin de te dire où les Mailloux vont aller...

– Mais veux-tu bien me dire où est-ce qu'ils prennent leur argent?

– J'ai des nouvelles pour toi: je me suis informée à Mme Lavoie et ils prennent leur argent à ta caisse! Demain, tu vas rencontrer le directeur. Nous autre aussi on va construire une piscine...»

Tel que promis, je suis allé à la caisse, jeudi. Avec le résultat que vous savez depuis les premières lignes de cet article.

Depuis, chaque fois que je monte dans ma Mercedes, je l'haïs presque autant que les Lavoie!

Une bonne façon d'éviter les pièges à l'endettement consiste à mieux gérer vos émotions. Une fois que vous avez bien déterminé les émotions qui vous font consommer, vous pouvez mieux les contrôler et les canaliser vers d'autres activités comme la marche, la course, la natation, la lecture d'un bon livre, le cinéma et j'en passe... Si vous désirez atteindre vos objectifs de qualité de vie, il faut que vous fassiez un effort de rationalisation pour une partie importante de vos achats.

Si vous êtes impulsif et avez de la difficulté à gérer vos émotions lors de certains achats, voici quelques questions auxquelles vous devriez réfléchir avant de procéder à un achat important:

• Est-ce que cette dépense est nécessaire?

• Est-ce que cela changerait quelque chose à ma vie si j'abandonnais l'idée de cet achat?

• Y a-t-il d'autres choix?

- Puis-je remettre cette décision d'achat à plus tard sans trop subir de privation?

Devenir meilleur consommateur

Apprendre à bien consommer tout en ne s'endettant pas, voilà tout un défi! Nous avons tenté de vous sensibiliser à certains pièges tout en sachant que cette liste peut être allongée avec votre aide. Nous croyons, cependant, que les deux plus grands pièges qui vous guettent sont l'ignorance ainsi que l'absence de contrôle de vos émotions. Dans les chapitres qui suivent, vous aurez tous les outils pour devenir un meilleur gestionnaire ainsi qu'un meilleur consommateur. Quant à vos émotions, c'est seulement en prenant conscience de votre mode de consommation que vous pourrez vous protéger contre vous-même.

Réflexion

Quelles sont les émotions que j'ai de la difficulté à gérer et qui stimulent mes ardeurs de consommateur?

_____

_____

_____

_____

Quels sont les moyens que je peux me donner pour mieux gérer ces émotions?

_____

_____

_____

_____

Chapitre 3

Une histoire bien contemporaine

Stéphane l'Endetté rencontre Mélanie l'Économe
Portrait de Stéphane le consommateur

Stéphane, un célibataire de 25 ans, occupe depuis trois ans son premier emploi d'informaticien. Son revenu annuel brut est de 45 000 $. Stéphane a vécu dans une famille à l'aise et n'a jamais manqué de rien financièrement. De plus, il n'a jamais été vraiment encadré quant aux questions d'argent, et ses parents n'ont pas vu la nécessité de lui inculquer les connaissances essentielles à la gestion efficace de ses ressources financières. Depuis qu'il est sur le marché du travail, il ne peut plus compter sur l'aide financière de ses parents, sauf en de rares exceptions.

Stéphane éprouve beaucoup de difficultés à épargner. Il ne détient aucune liquidité dans son fonds de roulement ainsi que dans son fonds d'urgence. Il n'a pas encore commencé à contribuer dans un régime enregistré d'épargne-retraite. Stéphane utilise au maximum le crédit à la consommation ainsi que le crédit hypothécaire. Il vient à peine d'acquérir une résidence unifamiliale de 80 000 $, avec un dépôt de 5 000 $ provenant d'un cadeau de son père. Stéphane n'a aucune dette d'études, car il n'était pas admissible aux prêts et bourses.

Tableau 4
Description de la dette de Stéphane

Description	Capital/marge/limite/	Vers. mens.	Période d'amortis-sement	Taux d'intérêt	Solde
Prêt hypothécaire	75 000 $	518,55 $	30 ans	7,5 %	75 000 $
Prêt personnel (auto)	15 000 $	322,41 $	5 ans	10,5 %	15 000 $
Cartes de crédit	5 000 $	100 $	18 mois	24,5 %	2 000 $
Marge de crédit	5 000 $	18,75 $	–	7,5 %	3 000 $

Commentaires sur la dette de Stéphane

Comme nous pouvons le constater, notre ami Stéphane utilise plusieurs moyens de financement: prêt hypothécaire, prêts personnels, cartes de crédit et marge de crédit. Stéphane a acheté sa propriété avec un dépôt minime de 5 000 $ et choisi une période d'amortissement de trente ans. Quant à l'utilisation de ses cartes de crédit, il rembourse difficilement les soldes à la fin du mois. Depuis un an, il a eu recours à sa marge de crédit à trois reprises pour régler les soldes de ses cartes de crédit. Établissons maintenant le taux d'endettement de Stéphane.

Tableau 5
Le taux d'endettement de Stéphane

HYP. MENS.	+	CHAUFF.	+	TAXES	+	PRÊT PERS.	+	CARTES CRÉDIT	+	MARGE DE CRÉDIT	
518,55 $	+	100 $	+	175 $	+	322,41 $	+	250 $	+	150 $	= 1 515,96 $

$$\frac{518,55\ \$ + 100\ \$ + 175\ \$ + 322,41\ \$ + 250\ \$ + 150\ \$}{3750\ \$\ \text{REVENU BRUT MENSUEL}} = \frac{1\ 515,96\ \$}{3\ 750\ \$} = 40,4\ \%$$

Depuis l'achat de sa maison, Stéphane connaît des fins de mois difficiles. Il constate que le solde de ses cartes de crédit augmente plus rapidement et qu'il devra à nouveau déverser le solde impayé dans sa marge de crédit. Et la vie continue pour notre ami Stéphane...

Intérêts sur la dette de Stéphane[1]

Pour cet exercice, nous retiendrons les hypothèses suivantes: Stéphane conservera la même hypothèque pendant trente ans et renouvellera aux mêmes conditions tous les cinq ans. Quant au prêt personnel, il renouvellera également aux mêmes conditions tous les cinq ans et en profitera pour changer son automobile. Il maintiendra un solde moyen de 2 000 $ sur ses cartes de crédit ainsi qu'un solde de 3 000 $ sur sa marge de crédit. Voyons les coûts d'intérêt cumulatifs sur la dette de Stéphane à diverses périodes de sa vie.

Tableau 6
Coûts des intérêts de Stéphane

Intérêts annuels	(1re année)	7 750 $
Intérêts après	10 ans	68 000 $
Intérêts après	30 ans	160 000 $

Portrait de Mélanie l'Économe

Mélanie, une célibataire de 25 ans, occupe depuis trois ans son premier emploi de physicienne. Son revenu annuel brut est de 45 000 $. Mélanie a vécu dans une famille à revenu moyen. Afin de subvenir à ses dépenses personnelles, elle a dû, assez jeune, occuper un emploi d'été et de fins de semaine. Ses parents ont toujours fait un budget. Ils ont cherché très tôt à l'encadrer financièrement et à lui inculquer les connaissances essentielles à la gestion efficace de ses ressources financières. Depuis qu'elle est sur le marché du travail, Mélanie ne peut en aucune façon compter sur l'aide financière de ses parents.

Situation financière de Mélanie

Mélanie épargne régulièrement depuis l'âge de 15 ans. Depuis les trois dernières années, elle a décidé d'épargner

---

1. Nous avons choisi un exemple théorique simple qui a pour but d'aider à mieux comprendre les impacts de l'endettement.

entre 30 % et 40 % de ses revenus nets. Pendant cette période, elle a remboursé ses dettes d'études et amorcé un plan d'épargnes pour l'achat d'une copropriété. Mélanie dispose depuis plusieurs années d'un fonds de roulement de 1 000 $, ainsi que d'un fonds d'urgence de 2 000 $. Elle utilise parcimonieusement le crédit à la consommation et rembourse tous les mois le solde de sa carte de crédit. Elle dispose d'une marge de crédit de 2 000 $, mais ne l'emploie jamais. Mélanie est propriétaire d'une copropriété d'une valeur de 80 000 $ et détient une hypothèque de 60 000 $. Elle vient d'acquérir sa première automobile et a obtenu un financement de 0 %. À l'avenir, elle envisage d'acheter ses véhicules sans recourir au crédit, à moins qu'elle ne puisse bénéficier à nouveau d'un financement de 0 %. De toute façon, elle a l'intention d'ajouter à son budget un poste tenant compte de la dépréciation de son automobile.

Tableau 7
Description de la dette de Mélanie

Description	Capital/ marge/ limite/	Vers. mens.	Période d'amortissement	Taux d'intérêt	Solde
Prêt hypothécaire	60 000 $	479,17 $	20 ans	7,5 %	60 000 $
Prêt personnel (auto)	10 000 $	166,66 $	5 ans	–	10 000 $
Cartes de crédit	2 000 $	–	–	24,5 %	0 $
Marge de crédit	2 000 $	–	–	7,5 %	0 $

Commentaires sur la dette de Mélanie

Tout comme Stéphane, Mélanie utilise plusieurs moyens de financement. Cependant, elle fait preuve de beaucoup plus de modération. Mélanie évite de payer des intérêts sur ses dettes de consommation. Quant au financement de son appartement, elle a choisi d'amortir la dette sur 20 ans après avoir investi 25 %. Ainsi, elle n'a pas eu à assumer les frais de la S.C.H.L. (Société centrale d'hypothèque et de logement). Mélanie, contrairement à Stéphane, vit au-dessous de ses moyens. C'est ce qui lui a permis d'épargner une partie importante de ses revenus jusqu'à maintenant. Elle détient une bonne structure financière qui lui permet de bien maîtriser la dette. Il est intéressant de constater que Mélanie se crée des réserves afin de se donner les capacités de payer en argent comptant l'achat de ses biens de consommation. Établissons le taux d'endettement de Mélanie.

Tableau 8
Le taux d'endettement de Mélanie

HYP. MENS.	+	CHAUFF.	+	TAXES	+	PRÊT PERS.	+	CARTES CRÉDIT	+	MARGE DE CRÉDIT	

$$\frac{479,17\ \$ + 75\ \$ + 200\ \$ + 166,66\ \$ + 100\ \$ + 60\ \$}{3750,00\ \$} = \frac{1\ 080\ \$}{3\ 750\ \$} = 28,8\ \%$$

REVENU BRUT MENS.

Depuis l'achat de sa maison, Mélanie a dû réduire considérablement son taux d'épargne. Cependant, elle a l'intention de continuer de mettre de côté 15 % de son revenu net. Elle prévoit commencer cette année à contribuer à un régime enregistré d'épargne-retraite. Elle a l'intention d'utiliser son remboursement d'impôt sur son REER pour rembourser plus rapidement son hypothèque. Et la vie continue pour Mélanie.

Intérêts sur la dette de Mélanie[2]

Tout comme pour le cas de Stéphane, nous poserons les hypothèses suivantes : Mélanie conservera la même hypothèque pendant vingt ans, et ce, aux mêmes conditions ; elle renouvellera son prêt personnel aux cinq ans pour l'achat de son automobile. Dans le cas où elle devra verser des intérêts, Mélanie puisera dans son portefeuille de placements pour acheter son automobile[3]. Quant aux cartes de crédit et à la marge de crédit, Mélanie n'a pas l'intention d'accumuler de soldes.

---

2. Nous avons choisi un exemple théorique simple qui a pour but d'aider à mieux comprendre les impacts de l'endettement.

3. À noter qu'il peut être plus intéressant de financer l'achat d'un véhicule lorsque le coût des intérêts est inférieur au rendement net sur des placements.

Tableau 9		
Coûts des intérêts de Mélanie		
Intérêts annuels	(1re année)	4 385 $
Intérêts après	10 ans	38 070 $
Intérêts après	30 ans	55 000 $

Maîtriser son endettement c'est payant, payant...

L'histoire contemporaine de nos amis Stéphane l'Endetté et Mélanie l'Économe nous a permis de constater la différence des coûts en intérêts reliés au crédit sur diverses périodes. Ce qui frappe davantage, c'est l'écart important après une période de trente ans. Le tableau ci-dessous nous permet de comparer, sur plusieurs périodes, les coûts d'intérêt de Stéphane et ceux de Mélanie.

Tableau 10			
Comparaison des coûts d'intérêt entre ceux de Stéphane et ceux de Mélanie			
Période	**Stéphane**	**Mélanie**	**Différence**
1 an	7 750 $	4 385 $	3 365 $
10 ans	68 000 $	38 070 $	29 930 $
30 ans	160 000 $	55 000 $	105 000 $

Sans aborder les nombreux aspects positifs du non-endettement dont nous traiterons dans le prochain chapitre, essayons de regarder ce qu'il en coûte vraiment à Stéphane pour assumer cette différence de coût. Avec un revenu et un statut identiques à ceux de Mélanie, Stéphane aura déboursé après 30 ans 105 000 $ de plus en dépenses d'intérêt. Voici quelques éléments que nous pouvons en dégager.

- En supposant un taux d'imposition marginal de 40 %, Stéphane a dû canaliser des revenus avant impôts de 175 000 $ durant toute sa vie pour acquitter la différence par rapport à Mélanie. Ce montant représente donc près de quatre ans de salaire.

- Toujours en supposant un taux d'imposition marginal de 40 %, Stéphane aurait pu investir durant toute sa vie près de 175 000 $ dans un régime enregistré d'épargne-retraite. Nous savons que, jusqu'à concurrence des limites permises par la loi, les sommes investies dans un REER sont considérées comme des revenus non imposables.

- En investissant la différence annuelle en intérêt avant impôts[4] pendant une période de 30 ans, à un taux de 7 % composé annuellement dans son REER, Stéphane accumulerait un capital de 590 000 $ à l'âge de 55 ans. Incroyable, mais vrai!

  175 000 $ (30 ans) = 5 835 $
  5 835 $ pendant 30 ans à 7 % d'intérêt composé
  5 835 $ x 101,073[5] = 590 000 $

- Avec ce capital, à l'âge de 55 ans, Stéphane serait en mesure de s'acheter une rente de durée fixe lui procurant un revenu mensuel de 3 850 $[6] pendant la période de 30 ans.

revenu mensuel	3 850 $
revenu annuel	46 200 $
revenu total (30 ans)	1 390 000 $

Par cet exemple simple, j'ai tenté de démontrer que maîtriser son endettement se révèle payant, payant. Il aurait été possible de considérer plusieurs autres exemples où nous aurions pu investir la différence en coût d'intérêt:

- l'investissement dans un portefeuille non enregistré;

- l'achat d'une propriété à revenus;

---

4. Nous supposons pour nos calculs un taux d'intérêt uniforme pendant la période de 30 ans.
5. Facteur utilisé pour calculer l'intérêt composé au taux de 7 % sur une période de 30 ans.
6. Nous supposons un taux garanti de 7 % à l'achat de la rente.

- le remboursement accéléré de la dette à la consommation ainsi que la dette hypothécaire;
- des voyages réguliers à travers le monde;
- la location d'un chalet d'été au bord d'un lac, etc.

En somme, la maîtrise de l'endettement permettrait à Stéphane d'augmenter sa qualité de vie soit en jouissant d'un montant additionnel de 3 500 $ par année pour sa consommation personnelle, soit encore en l'épargnant pour se dégager complètement de sa dette. Alors, qu'en pensez-vous? Maîtriser son endettement, c'est payant, payant, n'est-ce pas?

Autoportrait du lecteur

Combien d'intérêt ai-je versé à mes créanciers cette année?

Je vous invite à répondre à cette question en utilisant le tableau ci-dessous. Par la suite, vous pourrez le compléter par vos commentaires personnels, vos nouveaux objectifs ainsi que les moyens que vous prévoyez prendre pour maîtriser votre endettement.

Tableau 11
Intérêts annuels sur ma dette

Description	Intérêts annuels	Solde de la dette
Prêts hypothécaires	_____ $	_____ $
Prêts personnels	_____ $	_____ $
Prêts à des particuliers	_____ $	_____ $
Cartes de crédit	_____ $	_____ $
Marge de crédit	_____ $	_____ $
Contrats de vente à tempérament	_____ $	_____ $
Autres	_____ $	_____ $
Total	_____ $	_____ $

Réflexion

Autocritique:

_____

_____

_____

_____

_____

Mes nouveaux objectifs:

_____

_____

_____

_____

_____

Les moyens que je prévois prendre pour maîtriser et réduire mon endettement:

_____

_____

_____

_____

_____

Chapitre 4

Vivre sans dettes

Un scénario typique d'endettement

Valérie a terminé ses études au cégep il y a déjà six mois. Elle occupe depuis peu un poste bien rémunéré dans une entreprise de fibre optique. Dès l'obtention de son premier emploi, elle a décidé de se louer un appartement et de s'y installer avec son copain. Valérie n'a jamais eu de difficultés financières dans le passé, compte tenu du fait que ses parents l'ont aidée jusqu'à la fin de ses études. Cependant, elle a vécu beaucoup de frustrations dues aux limites qu'ils devaient lui imposer. Valérie a présentement des dettes d'études de 5 000 $ et un solde de 1 000 $ sur sa carte de crédit dont la limite est de 1 500 $. Elle n'a jamais vraiment épargné, car elle aime fêter avec les copains et se procurer des vêtements de marque. Depuis qu'elle vit en appartement, elle repousse la suggestion de ses parents de se faire un budget. Elle mentionne ne plus vouloir de contraintes et être assez grande pour savoir comment gérer ses affaires.

Depuis un mois, elle songe sérieusement à s'acheter une voiture, car elle voudrait réduire ses heures de transport et ne pas être dépendante de son copain pour ses déplacements. Elle est sollicitée depuis peu par deux concessionnaires qui lui proposent des conditions tout aussi intéressantes l'une que l'autre. Valérie décide enfin de se faire plaisir et de s'acheter une voiture neuve qu'elle fera financer sur cinq ans par le concessionnaire.

Mais voilà ! Après seulement quelques mois, elle réalise qu'une voiture ne roule pas sans frais. Avant d'acheter son véhicule, Valérie n'a pas établi de budget lui permettant de considérer l'impact de cette décision sur son mode de vie. Elle commence à trouver les fins de mois difficiles. Pour s'en tirer, elle utilise sa carte de crédit et ne rembourse que le minimum exigé. Lorsque la limite de crédit est utilisée, elle accepte une offre de la hausser à 2 500 $. À la suite d'un chèque sans provision, une de ses amies lui suggère d'éviter ce problème, à l'avenir, en demandant une marge de crédit auprès de son institution financière. Valérie obtient une marge de crédit de 2 000 $ sans trop de difficulté. Elle l'emploie aussitôt pour verser 300 $ comptant pour l'achat d'un voyage dans le Sud. Valérie utilise couramment sa carte de débit pour ses dépenses courantes comme la nourriture, l'essence et ses petites dépenses. Elle a de la difficulté à maintenir des liquidités dans ses comptes bancaires. À plusieurs reprises, sa marge de crédit doit suppléer à son manque de liquidités. À la fin de sa première année de travail, Valérie se retrouve avec une carte de crédit utilisée à la limite ainsi qu'un solde de 1 500 $ sur sa marge de crédit.

Depuis quelques mois, Valérie caresse le désir de se procurer, avec son copain, une chaîne stéréo moyenne gamme. Elle a besoin de 2 000 $ pour financer sa part. Alors, elle se présente à son institution financière pour y solliciter un emprunt. À sa stupéfaction, elle se voit refuser l'emprunt, compte tenu de son niveau élevé d'endettement. Valérie, frustrée, réagit et accepte le financement au taux de 29,9 % proposé par le marchand auprès d'une compagnie de prêts aux consommateurs (société de finances). Valérie n'a toujours pas de budget et continue allègrement de s'offrir presque sans restriction tous les plaisirs de la vie. Et ainsi va la vie pour Valérie...

Ce scénario vous dérange, ou encore vous choque. Pourtant, il s'agit bien d'un cas réel presque omniprésent autour de nous. Valérie a dernièrement décidé de consulter le programme d'aide aux employés de son entreprise, parce qu'elle éprouve des difficultés à respecter ses obligations depuis l'achat de sa chaîne stéréo. Elle se plaint qu'elle n'arrive pas et que le fardeau de ses dettes l'accable. Elle nous demande de l'aider pour refinancer sa dette auprès de son institution financière. Incroyable, mais vrai! Valérie n'a pas encore réalisé que la cause du problème n'est pas la dette, mais plutôt sa surconsommation. Refinancer la dette ne servirait qu'à retarder l'éclatement de l'abcès.

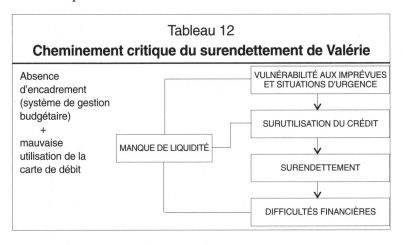

Tableau 12
Cheminement critique du surendettement de Valérie

Absence d'encadrement (système de gestion budgétaire) + mauvaise utilisation de la carte de débit	MANQUE DE LIQUIDITÉ	VULNÉRABILITÉ AUX IMPRÉVUES ET SITUATIONS D'URGENCE
		↓
		SURUTILISATION DU CRÉDIT
		↓
		SURENDETTEMENT
		↓
		DIFFICULTÉS FINANCIÈRES

Le scénario de Valérie s'applique à des centaines de personnes. Il est malheureux de constater que trop de gens réagissent au surendettement lorsqu'il est trop tard. Des comportements comme ceux de Valérie finissent, tôt ou tard, par nécessiter l'intervention d'un syndic. Heureusement, dans ce cas-ci, Valérie a eu la sagesse de consulter son programme d'aide aux employés.

Vivre sans dettes, est-ce possible?

Vivre sans dettes: «Mais il est fou, ce Gaulois!» me direz-vous. Et vous avez peut-être raison. Vivre sans dettes, c'est peut-être possible, mais presque irréaliste dans les premières années de notre vie active. Nous devons considérer que l'ensemble de la dette est composé de la dette hypothécaire ainsi que de la dette à la consommation. Pour atteindre cet objectif, il nous faudrait procéder à l'achat comptant de la propriété. À mon avis, à moins d'être locataire, cela me semble utopique pour la majorité des gens en début de carrière.

Alors, pouvons-nous maîtriser notre endettement et utiliser parcimonieusement le crédit à la consommation? À cette question, je réponds par l'affirmative. Une partie importante de la dette à la consommation est le résultat de la surconsommation. Notre surconsommation se retrouve petit à petit sur les cartes de crédit, les marges de crédit, les contrats de vente à tempérament ainsi que les prêts personnels. Qu'est-ce que la surconsommation? Je dirais que la surconsommation représente ni plus ni moins l'achat de biens de consommation par l'anticipation de revenus futurs, ou encore l'achat de biens de consommation pour lesquels aucune capacité de remboursement n'a été prévue.

Donc, comment contrer la surconsommation? En prenant conscience que mes ressources financières sont limitées, je fais des choix judicieux tout en respectant mes limites budgétaires. Je me donne des outils de gestion simples et efficaces et j'utilise le crédit à la consommation avec beaucoup de circonspection. Et enfin, j'essaie de développer, le plus tôt possible, des habitudes d'épargne afin de créer des réserves pour mettre de l'avant une politique d'achat comptant.

Alors que vivre sans dettes nous apparaît comme un objectif difficilement réalisable, la maîtrise de l'endettement devient un impératif si je veux me donner une bonne qualité de vie à moyen et à long terme.

Les aspects positifs de la maîtrise de l'endettement

Avez-vous déjà réalisé qu'en privilégiant la satisfaction immédiate de vos besoins de consommation vous risquez d'hypothéquer votre qualité de vie pour le reste de vos jours? En effet, en vous endettant dès les premières années de votre vie active, vous devrez, par la suite, assumer les coûts d'intérêt de la dette durant de nombreuses années. Il est fort peu probable que ce comportement de satisfaction immédiate se modifie avec les années. À moins, évidemment, que vous n'en décidiez autrement. La réalité est que vous aurez tendance à vivre presque toujours à la limite du surendettement. À ce titre, nous avons déjà fait une comparaison intéressante dans le chapitre 3.

Les aspects positifs de la maîtrise de l'endettement ne se limitent pas uniquement au volet financier. Voici l'ensemble des principaux aspects positifs de la maîtrise de l'endettement que nous avons relevés. La maîtrise de l'endettement permet de:

– se donner un mieux-être personnel, d'être mieux dans sa peau;

– se donner une meilleure santé physique et psychologique;

– maintenir et d'améliorer la qualité des relations interpersonnelles avec le conjoint ou la conjointe, la parenté, les amis et les amies, les confrères et les consoeurs de travail, etc.;

– maintenir et d'améliorer son efficacité au travail;

– se donner une meilleure qualité de vie, etc.

Peut-être pourriez-vous compléter cette liste. Nous vous invitons à la réflexion suivante. Quels sont les aspects de ma vie que je pourrais améliorer en ayant un meilleur contrôle de mon endettement?

L'éveil et la prise de conscience du consommateur: plus qu'un impératif

Face à cette situation de surendettement, il est important de s'éveiller et de s'outiller pour réagir à la facilité déconcertante avec laquelle les fournisseurs de crédit octroient le crédit. Compte tenu de la compétition effrénée, il ne faut pas s'attendre à ce que ces derniers jouent un rôle éducatif auprès du consommateur! Ils n'ont pas comme préoccupation première la santé financière de leurs clients, ni l'établissement de conditions favorables permettant le remboursement des prêts. Les fournisseurs de crédit existent, avant tout, pour réaliser des profits et se tailler une part importante du marché. En tant que consommateur, vous devez donc adopter des règles d'or afin de vous prémunir contre le surendettement et cesser d'accorder une confiance aveugle aux fournisseurs de crédit. Voyez maintenant ce à quoi pourraient ressembler ces règles d'or.

Les règles d'or de la génération des années 50

Si nous effectuons un retour aux années 50, nous pouvons constater que les consommateurs adultes de l'époque s'étaient dotés de règles d'or afin d'éviter l'endettement. En voici quelques-unes que j'ai recueillies auprès de consommateurs qui ont connu cette époque:

• Payer comptant les biens de consommation courante: essence, nourriture, vêtements, etc.;

• N'emprunter que dans l'extrême nécessité;

• Fournir le maximum de comptant sur l'achat de biens de valeur et rembourser vos emprunts sur la plus courte période de temps possible;

- Ne pas contracter d'emprunt sans tenir compte de l'incidence sur le budget;
- Vivre selon ses moyens;
- Considérer l'impact des dettes plutôt que la somme des remboursements;
- Être responsable et agir en bon père de famille.

Même si le crédit est une arme à double tranchant, on ne peut tout de même pas s'empêcher de lui accorder les mérites qui lui reviennent. Le crédit est devenu aujourd'hui un élément essentiel au développement de notre économie. Par exemple, le crédit permet à des petites et moyennes entreprises de démarrer, aux locataires d'accéder à la propriété, aux étudiants de poursuivre leurs études et aux investisseurs de financer plusieurs de leurs placements. À la suite de la description des bienfaits du crédit, on pourrait difficilement imaginer de s'en passer. Cependant, le crédit mal employé peut devenir un cauchemar et une source de problèmes sans issue pour le consommateur. À vous d'en décider autrement.

Nouvelles règles d'or des années 2000

Afin de nous prémunir contre l'endettement tout comme l'a fait la génération des années 50, ne pourrions-nous pas établir nos propres règles d'or? En voici quelques-unes que nous vous suggérons:

- Considérer l'impact de toute nouvelle dette sur le budget annuel;
- N'emprunter que pour acheter le nécessaire[1];
- N'emprunter que si vous pouvez rembourser le capital et l'intérêt dans le délai prescrit;
- Payer comptant toutes les dépenses de consommation courante: nourriture, essence, petites dépenses, etc;

---

1. Le nécessaire signifie la capacité de discerner entre l'essentiel et l'accessoire.

- Ne pas financer l'achat d'un bien plus longtemps que sa durée de vie;
- Effectuer un versement comptant minimum de 50 % sur les achats de luxe: meubles antiques, bateaux, bijoux de valeur, toiles de maître, etc;
- À l'achat d'une automobile, effectuer un versement comptant minimum de 10 % en plus de la valeur résiduelle de l'ancien véhicule. De plus, avoir les sommes nécessaires pour acquitter les taxes;
- Effectuer un versement comptant minimum de 25 % sur l'achat d'une résidence unifamiliale et choisir une période d'amortissement ne dépassant pas 20 ans;
- Calculer, à la fin de chaque année, les intérêts versés sur l'ensemble de la dette.

Nous avons énuméré quelques règles qui nous paraissent importantes. Sans doute, pourriez-vous allonger cette liste. Utilisez l'espace ci-dessous pour établir vos propres règles d'or.

Mes règles d'or

_____

_____

_____

_____

_____

Jusqu'à maintenant, nous avons cherché à vous sensibiliser à la problématique du surendettement et à vous convaincre des bienfaits de vivre avec le minimum d'endettement. Dans les chapitres qui suivent, nous nous attarderons sur les connaissances de base en gestion des finances personnelles, les moyens et les outils afin de vous permettre de réaliser vos objectifs de croissance.

Chapitre 5

L'utilisation judicieuse des instruments de crédit

Le budget d'abord

Quels que soient les avantages promotionnels offerts par le fournisseur de crédit, l'emprunteur doit toujours considérer l'impact de sa décision d'emprunt sur sa qualité de vie. Pierre vient de faire l'acquisition d'une nouvelle automobile. Sa demande de financement a été acceptée sans trop de difficulté. Bien naïvement, Pierre se dit qu'il ne devrait éprouver aucun problème à rembourser ce prêt, puisqu'il a été accepté haut la main.

Notre ami Pierre risque d'avoir de très mauvaises surprises s'il n'a pas pris le temps d'établir sa planification budgétaire en considérant toutes les nouvelles dépenses qu'engendrera son automobile. De plus, il aurait dû tenir compte de l'impact de cette décision sur l'ensemble de ses autres dépenses. La première étape, avant d'utiliser un instrument de crédit, consiste à établir sa planification budgétaire annuelle. Celle-ci permettra de mieux faire face à la réalité du lendemain sans trop d'éléments désagréables. Nous aborderons de manière plus élaborée la technique de la planification budgétaire au chapitre 9.

Il existe un grand nombre d'instruments de crédit: cartes de crédit, prêts personnels, contrats de vente à tempérament, marges de crédit, etc. Dans cette section, nous aborderons les plus connus d'entre eux. Par la suite, nous formulerons certaines suggestions quant à l'utilisation judicieuse de ces instruments. Rappelez-vous, avant toute chose, les règles d'or pour maîtriser l'endettement.

Les cartes de crédit

Les cartes de crédit peuvent être employées afin d'obtenir un délai de paiement pour l'achat de biens et de services ou encore pour obtenir des avances de fonds. Les institutions financières imposent aux détenteurs une limite de crédit sujette à révision. Aucun intérêt ne vous sera réclamé si vous acquittez votre solde dans les délais prescrits. Cependant, si vous dépassez ces délais, l'intérêt exigé par les institutions prêteuses sera généralement supérieur aux taux pratiqués pour les prêts personnels.

> **Quelques suggestions sur l'utilisation des cartes de crédit**
>
> • Utilisez le minimum de cartes de crédit;
> • Ne dépassez pas l'équivalent d'un mois de revenu net pour l'ensemble de vos limites de crédit;
> • Assurez-vous que tous vos achats sont compris dans votre budget;
> • Remboursez le solde de vos cartes tous les mois.

Les prêts personnels

Ces prêts sont accessibles dans toutes les institutions financières (banques, caisses populaires, fiducies). Les compagnies de prêts aux consommateurs accordent aussi ce genre de prêts. Les deux principaux types de prêts personnels offerts par les institutions prêteuses sont les prêts à taux fixe et les prêts à taux variable.

L'avantage du prêt à taux fixe est qu'il permet de mesurer avec précision son engagement financier à l'égard de l'institution prêteuse. Si vous empruntez un capital de 8 000 $ à un taux de 11 % remboursable sur une période de 48 mois, vous aurez à effectuer des remboursements fixes de 206,76 $ par mois pendant toute cette période.

Si vous désirez connaître votre coût réel en intérêts, vous n'avez qu'à effectuer l'opération suivante :

(nombre de versements X versements mensuels) –
montant de l'emprunt =
(48 X 206,76 $) – 8 000,00 $ = 1 924,48 $

Pour ce genre de prêts, les taux d'intérêt peuvent varier considérablement selon qu'il s'agit d'une institution bancaire ou d'une société de finances. Nous avons déjà constaté, chez ces dernières, des taux d'intérêt frôlant la barre des 40 %. Quant aux conditions qui peuvent vous être consenties par votre prêteur, elles dépendent de plusieurs facteurs : le montant du prêt, la durée de remboursement, l'objectif du prêt, votre avoir net, votre capacité à rembourser ainsi que votre historique de crédit. Les taux d'intérêt peuvent varier légèrement d'une institution financière à une autre, mais seront considérablement plus élevés s'il s'agit d'une société de finances.

Quelques suggestions au sujet de l'utilisation des prêts personnels

• N'empruntez que pour acheter le nécessaire ;
• Vérifiez les conditions auprès de deux institutions financières avant de contracter un emprunt ;

- Remboursez votre prêt sur la plus courte échéance possible;
- Si votre budget est serré, toujours utiliser le prêt à taux fixe;
- Remboursez votre prêt sur une base hebdomadaire;
- Évitez de contracter un deuxième prêt avant le remboursement du premier;
- Évitez de recourir à un emprunt de consolidation: ce genre de prêt reporte la dette sur une plus longue période, augmente quelquefois le coût des intérêts et crée une illusion quant aux nouvelles capacités de remboursement;
- Remboursez votre prêt par anticipation si vous avez des épargnes en sus dans votre fonds de roulement ou dans votre fonds d'urgence.

Les contrats de vente à tempérament

Les contrats de vente à tempérament (contrats de vente conditionnelle) sont généralement offerts par l'entremise des marchands pour l'achat de biens, par exemple meubles, appareils électroménagers, automobiles, maisons mobiles, etc. Lorsque vous signez un contrat de vente à tempérament, le contrat est, dans la plupart des cas, cédé à une institution financière ou à une société de finances. Si c'est le cas, vous devrez acquitter vos versements auprès de celle-ci et vous ne deviendrez propriétaire des biens qu'au terme de tous vos versements.

Les taux d'intérêt pour ce genre de prêt s'apparentent à ceux des prêts personnels offerts par les institutions financières. Lors de promotions spéciales, ils peuvent même être inférieurs. De toute façon, avant de signer un contrat de vente à tempérament, vérifiez toujours le taux d'intérêt réel et assurez-vous d'obtenir les meilleures conditions de financement. Faites attention aux attrapes du genre: «Promotion spéciale 24 versements de 15 $ par semaine». Dans certains cas, vous auriez avantage à vérifier le taux d'intérêt réel offert par le marchand.

Quelques suggestions sur l'utilisation des contrats de vente à tempérament

- N'empruntez que pour acheter le nécessaire;
- Comparez les prix avant d'accepter une promotion axée sur les taux d'intérêt;
- Vérifiez les conditions d'un prêt auprès d'une autre institution financière;
- Remboursez votre prêt dans le plus court laps de temps possible;
- Évitez de signer un deuxième contrat de vente à tempérament tant que le premier n'est pas honoré;
- Remboursez votre prêt par anticipation si vous avez des épargnes en sus dans votre fonds de roulement ou dans votre fonds d'urgence.

Les marges de crédit personnelles

Les marges de crédit personnelles peuvent être obtenues auprès de la majorité des institutions financières ainsi qu'auprès des compagnies de prêts aux consommateurs. Cet instrument de crédit est, en quelque sorte, un pouvoir d'emprunt préautorisé continu qui se renouvelle au fur et à mesure que vous effectuez vos versements. Les marges de crédit personnelles ne sont finalement consenties qu'aux personnes qui présentent de l'expérience dans la gestion de leurs finances personnelles ainsi qu'une bonne capacité de remboursement. Quoique les taux d'intérêt soient souvent plus avantageux que ceux des prêts personnels, ils ne sont pas fixes et varient selon le taux préférentiel des institutions financières. Les versements exigés par les institutions représentent soit un montant fixe, un faible pourcentage du solde, soit encore les intérêts sur le solde. Pour tous ces modes de remboursement, les versements s'effectuent généralement sur une base mensuelle.

Cette forme de crédit doit être utilisée avec beaucoup de prudence, car elle incite très souvent à vivre au-dessus de ses moyens. De façon générale, je ne recommande l'usage de ce genre de crédit que lorsque les intérêts sont déductibles d'impôt ou encore lorsqu'il s'agit d'investir dans un bien susceptible d'acquérir de la valeur. L'utilisation d'une marge de crédit personnelle par un salarié aux fins de consommation courante dénote habituellement une carence au niveau de la gestion de ses finances personnelles.

Quelques suggestions sur l'utilisation des marges de crédit personnelles

- Évitez d'utiliser une marge de crédit personnelle pour votre consommation courante;
- Ne négociez avec votre institution que la marge requise pour vos besoins essentiels;
- N'utilisez votre marge que pour un investissement, lorsque les intérêts sont déductibles d'impôt;
- Acquittez fidèlement, tous les mois, les versements minimums exigés par votre institution;
- Remboursez le capital le plus rapidement possible et constituez-vous un fonds de roulement ainsi qu'un fonds d'urgence.

La marge de crédit avec garantie hypothécaire

La marge de crédit avec garantie hypothécaire ressemble en tout point à la marge de crédit personnelle, à la différence qu'elle est consentie avec une garantie hypothécaire sur la propriété. Contrairement à la marge de crédit personnelle, elle n'est pas offerte par toutes les institutions prêteuses. Les taux d'intérêt sont souvent plus avantageux que ceux des prêts personnels et sont fréquemment inférieurs au taux de la marge de crédit personnelle. Tout comme la marge de crédit personnelle, les taux de la marge de crédit avec garantie hypothécaire ne sont pas fixes et varient selon le taux préférentiel des institutions financières. Contrairement aux autres formes de prêts que nous avons vues, vous devez vous attendre à payer des frais juridiques pour la préparation de l'acte de prêt.

Cette forme de crédit peut vous permettre de procéder à des investissements importants : rénovation de votre propriété, achat d'un terrain, d'un chalet, d'un bateau, etc. Mais attention! Cet instrument de crédit doit être utilisé avec beaucoup de prudence. Si vous n'envisagez pas de vendre votre propriété à court ou à moyen terme pour rembourser votre emprunt, vous devez établir un échéancier de remboursement et effectuer vos versements mensuels avec beaucoup de discipline.

Quelques suggestions sur l'utilisation de la marge de crédit avec garantie hypothécaire

- Utilisez cette marge lorsque votre hypothèque est complètement acquittée ;
- N'utilisez que la somme nécessaire ;
- Assurez-vous d'être en mesure d'effectuer les versements minimums exigés par votre institution ;
- N'utilisez jamais cette marge pour la consommation courante, à moins d'envisager de vendre votre propriété à court terme pour acquitter votre emprunt.

La protection à découvert

La protection à découvert est une forme de prêt préautorisé qui permet à votre institution bancaire d'encaisser vos chèques lorsque vous n'avez pas les fonds nécessaires. Le montant à découvert est généralement plafonné, et les frais d'administration de cet instrument de crédit sont assez élevés. Quant aux taux d'intérêt, ils s'apparentent à ceux des cartes de crédit, et les modalités de remboursement varient d'une institution à l'autre. Certaines institutions exigent que vous remboursiez dans un court délai, tandis que d'autres n'imposent pas de limite de temps.

Cette forme de crédit ne doit être considérée qu'à titre de dépannage exceptionnel, car les coûts d'utilisation sont assez élevés. Il serait sage de ne pas avoir recours à cet instrument de crédit, mais plutôt de tenir à jour son carnet de position[1] et de maintenir constamment un fonds de roulement.

Quelques suggestions sur l'utilisation de la protection à découvert

- Évitez d'utiliser ce genre de crédit;
- N'utilisez qu'un montant à découvert, uniquement si vous n'avez pas d'autres choix. Ce montant ne devrait jamais dépasser votre loyer ou votre remboursement hypothécaire;
- N'utilisez ce prêt que temporairement, c'est-à-dire tant que vous n'aurez pas constitué un fonds de roulement suffisant;
- Remboursez ce prêt le plus rapidement possible et constituez votre fonds de roulement pour ne plus avoir recours au découvert bancaire.

Le prêt sur la police d'assurance-vie

Ce genre de prêt vous permet d'emprunter auprès de votre assureur un montant d'argent ne dépassant pas généralement 90 % de la valeur de rachat de votre police. Une fois utilisé,

---

1. Le carnet de position permet de tenir à jour vos transactions bancaires et de connaître en tout temps votre solde bancaire. Vous pouvez vous procurer ce carnet auprès de votre institution bancaire.

le montant de l'emprunt réduit la valeur nominale de votre police jusqu'à concurrence de la valeur du prêt. Vous pouvez obtenir ce prêt à des conditions comparables à ceux des prêts personnels. Notez que la grande majorité des polices émises avant l'année 1968 comportent des taux très avantageux. Certains de ces contrats d'assurance-vie individuels vous permettent d'emprunter à des taux aussi bas que 5 %. Les conditions de remboursement des emprunts sur les polices d'assurance-vie sont très accessibles et généralement très souples.

Quelques suggestions sur l'utilisation des prêts sur les polices d'assurance-vie

- Utilisez pour les situations d'urgence uniquement;
- Ne les utilisez jamais pour vos dépenses de consommation courante;
- Remboursez les intérêts chaque année;
- Remboursez le capital dès que possible en utilisant un mode de versements préautorisé.

Le prêt hypothécaire

Le choix d'une résidence est une aventure passionnante. Il vous importe, cependant, de tenir compte de vos besoins ainsi que de votre capacité financière. Il va de soi que vous ne devez pas prendre de décision sous l'impulsion du moment. Alors, gare à vos émotions! L'achat d'une propriété doit résulter avant tout d'une démarche intelligente et rationnelle.

Avant de procéder à l'achat, vous devez répondre aux questions suivantes: est-ce que j'ai les moyens d'assumer l'achat, les dépenses d'entretien et les coûts reliés à la propriété? Suis-je prêt à considérer les responsabilités que cette décision entraîne: entretien du terrain, de la maison, déneigement, gestion du budget, etc.?

L'achat d'une propriété n'est pas un investissement; toutefois, il permet une forme d'épargne de bas de laine systématique à moyen et à long terme. Le remboursement de l'hypothèque représente à long terme une forme d'épargne sans rendement qui peut s'avérer assez substantielle. Autre constat: il est peu probable que vous perdiez à long terme sur sa valeur initiale. Le prix des maisons sur une longue période va presque toujours en augmentant. Même s'il y a des hauts et des bas, le risque de perdre votre mise de fonds est minime, car la tendance est presque toujours à la hausse, à part quelques situations (par exemple, une fermeture d'usine dans une petite région). Cependant, vous devrez toujours garder à l'esprit que l'achat d'une résidence unifamiliale est d'abord un choix de qualité de vie et non un investissement financier.

Le budget d'abord

En devenant propriétaire, vous devez faire face à de nouvelles obligations:

- le remboursement du prêt hypothécaire (capital et intérêts);
- les taxes municipales et scolaires;
- les frais communs (s'il y a lieu);
- les coûts d'entretien, de réparations, les assurances, le chauffage, l'électricité.

Après avoir déterminé le capital dont vous disposez pour l'achat de votre propriété, vous devrez évaluer votre capacité budgétaire.

Voyons comment vous pouvez évaluer votre capacité budgétaire. D'abord, calculez le montant d'épargne annuelle que vous allouiez pour l'achat de votre propriété. Par la suite, ajoutez-y l'ensemble de vos dépenses de location. De ce montant, soustrayez toutes les dépenses prévisibles de votre future propriété en excluant le versement hypothécaire.

Le résultat vous donnera le montant mensuel dont vous pourrez disposer pour vos versements hypothécaires. Le tableau suivant vous permettra d'évaluer votre propre situation.

Tableau 13
Votre capacité budgétaire
(Achat d'un appartement en copropriété d'une valeur de 80 000 $)

CALCUL DES DISPONIBILITÉS SUR UNE BASE ANNUELLE

– épargne systématique annuelle pour l'achat de la maison	2 600 $
Coûts actuels afférents aux dépenses de location	
– loyer	7 800 $
– assurance locataire-occupant	210 $
– électricité et chauffage	960 $
– stationnement	720 $
– coût supplémentaire en essence[2]	520 $
Total des coûts annuels	10 210 $
Total des coûts avec l'épargne disponible	12 810 $
Coûts prévisibles pour vos dépenses de propriétaire	
– assurance propriétaire-occupant	400 $
– taxes foncières et scolaires	1 950 $
– électricité et chauffage	2 100 $
– frais d'entretien intérieur et extérieur[3]	800 $
– frais communs	1 200 $
– stationnement	–
– autres	–
Total des coûts prévisibles	6 450 $
Excédent disponible pour le financement hypothécaire sur une base annuelle	6 360 $
Excédent disponible sur une base mensuelle	530 $

Le cas illustré démontre que l'on dispose d'un montant de 530 $ par mois pour effectuer le remboursement du prêt hypothécaire. Selon les conditions du prêt hypothécaire, il est possible de déterminer le montant de capital que l'on peut se permettre.

---

2. Économie d'essence après le déménagement.
3. Le poste peut varier entre 0,25 % et 1 % de la valeur marchande pour un appartement en copropriété. Quant à la résidence unifamiliale, nous suggérons de consacrer un minimum de 1 % de la valeur marchande.

À partir des conditions ci-dessous, voyons à quoi correspond ce capital.

– Amortissement   25 ans
– Taux d'intérêt   8 %
– Terme   5 ans
– Versement mensuel   530 $

Tableau 14
Amortissement de la dette sur 25 ans
Versements mensuels

Prêt	6 %	6,5 %	7 %	7,5 %	8 %	8,5 %	9 %	9,5 %	10 %
50 000	319,90	334,91	350,21	365,78	381,60	397,68	413,99	430,51	472,24
60 000	383,88	401,89	420,25	438,93	457,93	477,22	496,79	516,62	536,62
70 000	447,86	468,88	490,29	512,09	534,25	556,76	579,59	602,79	626,15
80 000	511,85	535,86	560,33	585,24	610,58	636,30	662,39	688,83	715,59
90 000	575,83	602,84	630,37	658,40	686,90	715,83	745,18	774,93	805,04
100 000	639,81	669,82	700,42	731,56	763,22	795,37	827,98	861,03	894,49
110 000	703,79	736,81	770,46	804,71	839,55	874,91	910,78	947,14	983,94
120 000	767,77	803,79	840,50	877,87	915,88	954,45	993,58	1033,25	1073,39
130 000	831,75	870,77	910,54	951,02	992,21	1033,99	1076,38	1119,36	1162,84
140 000	895,73	937,75	980,58	1024,18	1068,54	1113,53	1159,18	1205,47	1252,29
150 000	959,71	1004,74	1050,62	1097,33	1144,87	1193,07	1241,98	1291,58	1341,74

Note : Selon la table d'amortissement ci-dessus, il est possible d'obtenir un prêt hypothécaire de près de 70 000 $. Afin d'effectuer votre propre calcul, procurez-vous un tableau complet des prêts hypothécaires auprès de votre libraire ou de certains dépanneurs.

L'exercice sur la capacité budgétaire ne constitue pas la seule façon de déterminer votre capacité financière. Vous devrez, avant d'obtenir votre prêt, répondre aux divers critères de votre institution financière.

Aussi, pourquoi ne pas profiter du service de l'hypothèque préétablie? Celle-ci permet de connaître à l'avance le montant de l'hypothèque que votre institution financière vous accordera en fonction de votre revenu brut et d'un ensemble d'autres facteurs. De plus, certaines institutions financières peuvent vous garantir les conditions de votre prêt pour une période allant jusqu'à 90 jours.

Votre capacité financière vue par votre institution financière

Afin d'évaluer votre capacité financière, deux ratios seront considérés par votre institution financière, soit l'amortissement brut de la dette (ABD) et l'amortissement total de la dette (ATD).

L'amortissement brut de la dette représente un pourcentage maximal de votre revenu brut que vous ne devriez pas dépasser pour vos dépenses de logement (capital et intérêts, taxes, frais de chauffage). Ce pourcentage peut varier de 25 % à 32 %, selon les différentes institutions financières.

Tableau 15
Amortissement brut de la dette (ABD)

	ANNUEL	MENSUEL
Capital et intérêts	6 360 $	530 $
Taxes foncières et scolaires	1 950 $	162 $
Frais communs	1 200 $	100 $
Chauffage	1 140 $	95 $
	10 650 $	887 $

ABD $\dfrac{10\ 650\ \$}{38\ 000\ \$^4} = 28\ \%$

Dans l'exemple précédent, l'ABD s'établit à 28 % et respecte les critères de l'institution financière.

L'amortissement total de la dette représente le montant des frais reliés à la propriété *(voir le tableau 15)* plus certains autres engagements financiers: les emprunts personnels, la marge de crédit, les cartes de crédit, etc. Ce pourcentage peut varier de 38 % à 42 %, selon les différentes institutions financières.

---

4. Revenu brut annuel.

Nous avons abordé sommairement le calcul de l'amortissement total de la dette (ATD). Vous pourrez effectuer un calcul plus précis en vous reportant au chapitre 1. L'exercice que nous venons de faire nous démontre que vous pouvez envisager l'achat d'un appartement en copropriété et obtenir un financement de 70 000 $ si vous répondez à l'ensemble des critères de votre institution financière: mise de fonds, stabilité du revenu, historique de crédit, etc.

Les autres besoins de liquidités à l'achat de votre propriété

Avant de procéder à l'achat de votre propriété, vous devriez avoir constitué un fonds de roulement ainsi qu'un fonds d'urgence.

En plus de votre fonds de roulement et de votre fonds d'urgence, il vous faudra penser aux dépenses supplémentaires occasionnées par l'achat de votre propriété ainsi qu'à certains frais de démarrage. Ces frais peuvent varier selon les situations, et il nous est difficile de les calculer avec précision. Les chiffres ci-dessous ne sont donnés qu'à titre d'exemple. Ils ont été basés sur l'achat d'une résidence unifamiliale de 80 000 $, dans la région de Québec.

Tableau 17	
Frais supplémentaires et de démarrage	
– Frais d'évaluation professionnelle	300 $
– Frais juridiques	600 $
– Ajustements (taxes et huile à chauffage)	300 $
– Frais de déménagement	600 $
– Frais d'aménagement	500 $
– Frais de nettoyage, meubles, rideaux, tapis	300 $
– Droit de mutation (taxe de bienvenue)	550 $
– Premier compte de taxes (semestriel)	975 $
– Prime d'assurances (augmentation de la prime)	200 $
– Autres	–
Total	4 325 $

Le choix du type de propriété

Maintenant que vous connaissez vos moyens financiers, il vous reste à choisir le type de propriété qui vous conviendra le mieux. Bien évaluer ses besoins personnels et ses goûts constitue la deuxième étape à franchir dans la recherche d'une maison.

Qu'est-ce qu'un prêt hypothécaire ?

Le prêt hypothécaire est un contrat conclu entre le prêteur et l'acheteur et par lequel le premier prête de l'argent au deuxième pour l'achat d'une propriété moyennant une garantie sur celle-ci. Dans l'éventualité où l'acheteur cesse les versements, l'hypothèque permet au prêteur de saisir l'immeuble pour en devenir propriétaire ou pour le vendre afin de récupérer les sommes prêtées, ou encore le faire vendre en justice s'il estime que la vente sera ou ne sera pas suffisante pour couvrir la dette.

Le prêt hypothécaire conventionnel

Ce prêt ne dépasse pas 75 % du prix d'achat ou de la valeur marchande. Le plus petit montant est retenu par le prêteur.

Retenons que certains prêteurs peuvent augmenter cette limite jusqu'à 80 %.

Le prêt hypothécaire assuré

Lorsque la mise de fonds initiale est inférieure à 25 % ou 20 % pour certaines institutions, le prêteur demande que le prêt soit cautionné ou assuré (exemple, par la S.C.H.L.). Cette caution peut atteindre 95 % du prêt et permet au prêteur de se protéger à la suite du défaut de paiement de l'emprunteur. Cependant, vous devrez acquitter une prime pour que votre prêt soit assuré. Cette prime peut représenter un montant substantiel.

Tableau 18 Financement hypothécaire assuré	
Valeur de la propriété	100 000 $
Comptant disponible	5 000 $
Prêt hypothécaire maximum 100 000 $ X 95 % = 95 000 $	

Les différentes variables d'un prêt hypothécaire

Le prêt hypothécaire comporte différents éléments et modalités. Avant de procéder au choix de votre emprunt, vous devez, dans la mesure du possible, tenir compte de l'ensemble des variables suivantes :

– la mise de fonds initiale ;

– le montant maximal du prêt ;

– le taux d'intérêt offert par votre institution ;

– les différents termes ;

– la fréquence des versements ;

– la période d'amortissement ;

– les remboursements par anticipation et sans pénalité ;

– les frais administratifs et les frais de renouvellement ;

– les assurances-vie et invalidité.

Parmi l'ensemble des instruments de crédit que nous avons abordés jusqu'ici, le prêt hypothécaire est celui qui comporte le plus de variables. Le lecteur qui envisage l'achat d'une première propriété aurait intérêt à se documenter afin de faire un choix judicieux. Nous n'avons pas l'intention de développer davantage ce sujet, car cela ne fait pas partie des objectifs de l'auteur. Voici tout de même, cependant, quelques suggestions sur l'utilisation du prêt hypothécaire.

Quelques suggestions sur l'utilisation du prêt hypothécaire

- Établissez le montant du prêt en fonction de votre capacité budgétaire: ne vous laissez pas influencer par le prêt que vous offre votre institution financière;
- Évitez le prêt hypothécaire assuré;
- Évitez les taux variables et les termes courts si vous ne disposez pas d'un budget souple;
- Optez pour des versements hebdomadaires accélérés;
- Choisissez la période d'amortissement la plus courte possible qui ne devrait pas dépasser 20 ans;
- Vérifiez les couvertures de votre assurance-collective avant de souscrire à l'assurance-invalidité.

Test sur mon profil d'utilisateur du crédit

	Vrai	Faux
1. Je ne paye jamais d'intérêts sur mes cartes de crédit.	❏	❏
2. Je refuse presque toutes les cartes de crédit qui me sont offertes.	❏	❏
3. Je conserve rarement un solde sur ma marge de crédit plus de trois mois.	❏	❏
4. Il ne m'arrive jamais de solliciter un prêt personnel avant d'avoir acquitté le précédent.	❏	❏
5. Quand j'utilise les achats à paiements différés, j'en acquitte le coût à l'échéance.	❏	❏
6. Je n'emprunte jamais à mes parents pour faire face à des situations difficiles.	❏	❏
7. Je ne demande jamais d'avance sur salaire pour arriver à joindre les deux bouts avant ma prochaine paye.	❏	❏
8. Je n'emprunte jamais auprès de compagnies de prêts aux consommateurs.	❏	❏
9. Je n'emprunte jamais auprès de mes collègues de travail avant ma paye.	❏	❏
10. J'ai un solde d'hypothèque qui est inférieur à 75 % de la valeur marchande.	❏	❏

Évaluation des résultats
Comptez le nombre de réponses cochées
dans la colonne «Vrai»

Mon résultat: _____ /10

9 et plus   Félicitations! Vous êtes un as de la gestion de la dette. Vous avez un excellent contrôle sur votre endettement.

7 et 8   Vous vous en tirez très bien et gérez bien votre dette. Vous êtes au-dessus de la moyenne et détenez un bon contrôle sur votre endettement.

5 et 6   Vous éprouvez de la difficulté avec la gestion de la dette. Vous avez tendance à laisser aller le contrôle. Attention!

4 et moins   Ouf! Vous avez perdu le contrôle sur la gestion de la dette. Votre taux d'endettement doit sûrement dépasser la norme suggérée précédemment (32 %). Votre situation nous apparaît extrêmement fragile. Consultez au plus vite un planificateur financier qui n'est pas un fournisseur de crédit.

Chapitre 6

La carte de débit: instrument d'endettement...

La carte miracle

La carte de débit en tant qu'instrument de liquidités représente sans contredit une des grandes innovations instaurées par les institutions financières à la fin du XXe siècle. Celle-ci procure à l'usager de nombreux avantages. Désormais, il est possible de payer comptant sans avoir à conserver sur soi des sommes d'argent importantes. Elle évite aussi de fréquents déplacements afin d'effectuer des retraits auprès de son institution financière. Pour plusieurs, la carte de débit représente une sécurité non négligeable, car elle évite que l'on perde ou que l'on se fasse dérober de l'argent. Entre autres avantages, la carte de débit permet d'effectuer rapidement certaines transactions au guichet automatique sans pour autant être tenu au respect des heures d'ouverture. La liste pourrait encore s'allonger sur les bénéfices qu'elle procure, mais nous nous limiterons aux principaux aspects que nous avons recueillis lors de notre enquête maison.

La carte de débit, bien utilisée, représente sans contredit un instrument moderne qui répond à de nombreux besoins. Par contre, lorsqu'elle est mal utilisée, elle peut se transformer en cauchemar et devenir une source d'endette-ment. Voyons comment Mélanie et Stéphane utilisent cet instrument ainsi que les impacts sur leur santé financière respective.

La carte de débit de Mélanie

Mélanie apprécie sa carte de débit. Cependant, elle ne l'utilise que pour y effectuer ses transactions au guichet. Chaque semaine, elle se présente au guichet de son institution pour les opérations suivantes: transfert d'argent dans les comptes qu'elle utilise pour gérer ses dépenses fixes ainsi que ses dépenses variables, paiement de ses factures et retrait du montant prévu pour ses dépenses courantes[1]. Il lui arrive parfois d'utiliser sa carte de débit lorsqu'elle ne peut acquitter une dépense prébudgétée avec sa carte de crédit.

Lorsque Mélanie obtint sa carte de débit, elle constata, après quelques mois qu'elle avait épuisé son fonds de roulement. Pour la première fois, sa marge de crédit devait suppléer à l'absence de liquidités dans son fonds de roulement. Elle réalisa qu'elle avait tendance à surconsommer puisqu'elle ne s'imposait plus de limites comme avant, alors qu'elle se limitait à un prélèvement hebdomadaire comptant.

Après la lecture d'un ouvrage sur la gestion des finances personnelles et d'une discussion avec son père, Mélanie décida de limiter l'usage de sa carte de débit aux seules transactions s'effectuant au guichet. Elle revint au retrait hebdomadaire d'un montant d'argent fixe pour toutes ses dépenses courantes. Ainsi, Mélanie considère que, sur la base d'un montant d'argent fixe par semaine, elle est en mesure de mieux contrôler ses dépenses courantes.

---

1. Les dépenses courantes représentent les dépenses comme la nourriture, les produits ménagers, l'essence et les dépenses personnelles mineures.

Elle préserve ainsi son fonds de roulement tout en évitant de s'endetter par l'usage d'une marge de crédit.

La carte de débit de Stéphane

Tout comme Mélanie, Stéphane apprécie sa carte de débit. Il l'utilise systématiquement pour y effectuer les paiements de presque toutes ses transactions courantes supérieures à cinq dollars. Lorsqu'il l'emploie, il complète fréquemment ses transactions en y ajoutant un retrait de quelques dollars afin de se procurer un peu de liquidités. Stéphane ne s'est pas fixé de limites quant aux retraits qu'il effectue avec sa carte. Compte tenu qu'il a de la difficulté à régler ses dépenses fixes, paiement de l'hypothèque, paiement de l'auto, etc., il préfère conserver une partie de ses liquidités et effectuer de temps à autre certains achats par cartes de crédit.

Après avoir obtenu sa carte de débit, Stéphane constata que son mince fonds de roulement avait fondu en l'espace de quelques semaines. Ayant déjà fait appel à quelques reprises à sa marge de crédit pour acquitter les soldes de ses cartes de crédit, Stéphane ne se préoccupa pas de la baisse soudaine de ses liquidités bancaires puisqu'il pouvait se fier à sa marge de crédit pour suppléer à l'insuffisance de son fonds de roulement.

Depuis qu'il utilise sa carte de débit, Stéphane a dû faire augmenter le solde de sa marge de crédit à deux reprises. Il commence à éprouver de sérieuses difficultés à respecter ses obligations financières sans tomber dans l'endettement. À la suite d'une bonne discussion avec sa copine Mélanie, il songe à consulter le conseiller financier de son programme d'aide aux employés. Cependant, sous cette bonne intention se cache encore l'espoir d'un sauvetage par papa.

Les impacts d'une mauvaise utilisation de la carte de débit

Les impacts d'une mauvaise utilisation de la carte de débit sont nombreux. Pour les déterminer, nous nous inspirerons du cas de notre ami Stéphane au moment où il nous a consultés. Cependant, nous devons souligner que le cas de Stéphane n'est pas unique; ce cas est malheureusement fréquent. Voici donc les impacts que nous avons répertoriés quant à la mauvaise utilisation de la carte de débit:

– augmentation du niveau des dépenses courantes compte tenu de l'absence de contrôle;

– coûts élevés d'utilisation par rapport au paiement en argent liquide;

– disparition graduelle du fonds de roulement;

– obligation de souscrire à un découvert bancaire ou une marge de crédit pour suppléer à l'absence d'un fonds de roulement;

– coûts élevés en frais et intérêts par l'utilisation du découvert bancaire;

– coûts d'intérêt sur la marge de crédit;

– hausse graduelle de la marge de crédit compte tenu de l'absence de contrôle sur les dépenses courantes et hausse des coûts d'intérêt;

– hausse des montants dus par cartes de crédit compte tenu du manque de liquidités pour régler les dépenses fixes et variables[2];

– consolidation de dettes par le biais d'un prêt personnel ou par refinancement de l'hypothèque;

– difficulté à respecter ses engagements auprès de ses créanciers;

– dernière tentative de refinancement de la dette;

– obligation de rencontrer un conseiller financier (non lié) ou un syndic pour trouver une solution in extremis.

_____

2. Dépenses prévisibles avec une marge d'erreur plus ou moins grande, par exemple entretien auto, cadeaux, frais médicaux, etc.

Bien sûr, nous ne pouvons attribuer l'endettement qu'à la mauvaise utilisation de la carte de débit. Par contre, nous ne devons pas sous-estimer l'impact de sa mauvaise utilisation. Vous êtes donc le meilleur juge en la matière concernant votre propre situation.

Comment utiliser judicieusement votre carte de débit

Nous avons vu précédemment qu'une carte de débit mal employée peut devenir une source de cauchemars. Mélanie a rapidement réalisé qu'elle se devait de mieux encadrer ses décaissements afin d'arrêter l'hémorragie de son fonds de roulement. Quant à Stéphane, espérons qu'il ne sera pas trop tard pour lui s'il se décide d'acquérir de bonnes habitudes.

À notre avis, l'utilisation de la carte de débit implique une façon de faire qui évitera d'accélérer le processus d'endettement. Il n'y a pas, selon nous, une multitude de façons de bien gérer l'utilisation de sa carte de débit. Voici deux approches proposées : l'utilisation restreinte et l'utilisation à la consommation.

L'utilisation restreinte consiste à n'utiliser votre carte que pour les opérations au guichet, c'est-à-dire : dépôts, retraits, virements, paiements de factures et mise à jour des livrets. Avec cette approche, vous effectuez un retrait prébudgété chaque semaine pour l'ensemble de vos dépenses courantes. Il est essentiel de respecter le montant prébudgété, car un dépassement régulier équivaudrait à revenir à la case départ. Quant aux autres dépenses, soit les dépenses fixes et les dépenses variables, vous pouvez les acquitter de plusieurs façons : retraits préautorisés, paiements par chèques ou encore par cartes de crédit. Il ne faut pas oublier que la carte de crédit vous procure un financement gratuit à court terme, si vous effectuez vos paiements dans les délais prescrits. Avec cette méthode, si vous utilisez vos cartes de crédit en remplacement de votre carte de débit, vous devez absolument rembourser vos soldes à l'échéance requise.

L'utilisation à la consommation nécessite un contrôle budgétaire serré. Pour cela, vous devez utiliser un système de gestion budgétaire avec contrôle budgétaire. Pour éviter l'épuisement de votre fonds de roulement et l'utilisation d'une marge de crédit, vos dépenses doivent être contrôlées soigneusement en fonction de votre prévision budgétaire. Si vous ne possédez pas un tel système et n'avez pas l'intention d'en utiliser un, nous vous suggérons alors de déposer systématiquement, chaque semaine, un montant fixe dans un compte à part. Une fois épuisé, vous devrez vous astreindre à attendre le dépôt de l'autre semaine. Nous vous suggérons d'employer votre carte de débit que pour les dépenses courantes. Quant aux autres dépenses, soit les dépenses fixes et les dépenses variables, vous pouvez les acquitter de plusieurs façons : retraits préautorisés, paiements par chèques ou encore par cartes de crédit. Si vous utilisez votre carte de crédit, vous devez vous discipliner pour rembourser vos soldes à échéance ou avant.

Pour les deux méthodes mentionnées, il nous apparaît très important de vous doter d'un système de gestion budgétaire simple et efficace, car la meilleure façon de contrer l'endettement consiste à bien planifier l'allocation de vos revenus et d'en contrôler les sorties.

Mon profil d'utilisateur

Nous vous proposons un petit exercice qui a pour objet de vous permettre d'évaluer votre capacité à bien gérer votre carte de débit.

Auto-évaluation de mes habiletés à bien gérer ma carte de débit

	Vrai	Faux
1. Je suis conscient qu'une carte de débit mal utilisée est une cause importante d'endettement.	❏	❏
2. Les montants utilisés sur ma carte de débit sont prébudgétés.	❏	❏
3. J'ai défini le genre de dépenses que j'acquitte avec ma carte de débit.	❏	❏
4. Je me suis doté d'un système ou d'une méthode pour contrôler mes dépenses lorsque j'utilise ma carte de débit.	❏	❏
5. L'utilisation de ma carte de débit n'affecte pas mon fonds de roulement.	❏	❏
6. Je n'utilise pas une marge de crédit pour renflouer mon compte bancaire à cause d'un manque de liquidités.	❏	❏
7. J'ai pris les moyens pour contrôler les frais d'utilisation de ma carte de débit.	❏	❏
8. L'utilisation de ma carte de débit ne m'empêche pas d'épargner.	❏	❏
9. Je contrôle aussi bien mes dépenses que si j'avais un montant d'argent hebdomadaire prédéterminé.	❏	❏
10. Je considère que je suis un bon utilisateur de ma carte de débit.	❏	❏

Évaluation des résultats
(auto-évaluation de mes habiletés)
Comptez le nombre de réponses cochées
dans la colonne «Vrai»

Mon résultat: _____/10

7 et plus   Félicitations! Vous êtes un excellent utilisateur.

5 et 6   Vous vous en tirez plus ou moins pour l'instant, mais vous éprouvez sûrement de sérieux problèmes de liquidités. (Attention: feu jaune!)

4 et moins   Inutile de jouer à l'autruche. Vous êtes un très mauvais gestionnaire de votre carte de débit. Il est plus que temps de modifier votre façon de faire. (Attention: feu rouge!)

Chapitre 7

La recette pour atteindre la croissance financière

Pourquoi la croissance financière?

La croissance financière, pourquoi? Eh bien! parce que celle-ci apparaît incontournable! Partant de l'évidence que, tôt ou tard dans la vie, l'argent au travail (ensemble des épargnes et des placements accumulés à la retraite) remplacera la personne au travail, je n'ai pas le choix de me donner les moyens d'acquérir l'indépendance financière lorsque je prendrai ma retraite.

Bien sûr, je peux toujours dépenser comme la cigale et compter sur ma voisine la fourmi pour pourvoir à mes besoins lorsque la bise sera au rendez-vous. Mais, regardons ci-dessous quels seraient les revenus de la cigale à l'âge de 65 ans, en l'absence de croissance financière. Cet exemple est basé sur le cas d'un individu qui prend sa retraite avec le maximum de la rente du Québec et qui n'a pas participé à un régime de pension agréé.

Tableau 19
Revenus en provenance des régimes publics

Revenus en provenance du Régime de pensions du Canada (Sécurité de la vieillesse) et du supplément du revenu garanti pour une personne seule touchant le maximum de la Régie des rentes du Québec sans aucun autre revenu[1].

	Mensuel ($)	Annuel ($)
Régie des rentes du Québec	775	9 300
Pension de sécurité de la vieillesse	431,36	5 176,32
Supplément de revenu garanti	125,15	1 501,80
Total des revenus	1 331, 51	15 978,12

Nous pouvons constater que le revenu total pour une personne seule de 65 ans touchant le maximum de la rente du Québec sans aucun autre revenu s'élevait à 15 978,12 $ en 2001 (tableau 19). Ce revenu inclut la pension de la sécurité de la vieillesse ainsi que le supplément de revenu garanti. En 2001, ce montant est légèrement supérieur au seuil du faible revenu[2] d'une personne seule que nous estimons à 15 600 $. Si vous souhaitez effectuer un atterrissage en douceur au moment de votre retraite et ne pas avoir recours à votre voisine la fourmi, vous devez donc, si ce n'est déjà fait, vous mettre au travail dès maintenant et augmenter votre niveau d'épargne.

Comment pourrions-nous définir la croissance financière?

La croissance financière désigne l'augmentation graduelle de votre valeur nette au fur et à mesure des années[3]. Ainsi,

---

1. Selon les dernières statistiques disponibles (1999), le seuil du faible revenu d'une personne seule vivant dans une région urbaine de 500 000 habitants et plus s'établissait à 14 771 $.
2. *Ibid.*
3. La valeur nette représente la différence entre le total de vos avoirs et l'ensemble de vos dettes. Dans le prochain chapitre, «La photo de mes finances personnelles», nous verrons comment établir la valeur nette.

la croissance financière a pour but de vous permettre une meilleure qualité de vie à court, moyen et long terme tout en vous procurant un cadre sécuritaire afin de pallier les divers événements de la vie ayant un impact sur vos ressources financières.

Des outils à la source de la croissance

Figure 2 Outils à la source de la croissance

Il existe une multitude d'outils et d'instruments qui favorisent la croissance. Notre préoccupation est cependant d'aborder ceux qui nous apparaissent à la source même de la croissance. Nous étudierons trois outils fondamentaux. Le premier est un système, tandis que les deux autres sont des sous-éléments de ce même système.

• La gestion budgétaire;
• Le fonds de roulement;
• Le fonds d'urgence.

Définition et description

La gestion budgétaire est un système qui favorise une gestion efficace de vos ressources financières. Ce système peut être manuel ou informatisé. La gestion budgétaire se compose de cinq éléments: l'autoportrait (le bilan financier), la planification budgétaire, l'équilibre budgétaire, le système (la mécanique) et le contrôle budgétaire. Nous approfondirons ce sujet dans le chapitre suivant.

Le fonds de roulement représente les liquidités disponibles afin de couvrir les coûts de vie planifiés pour la prochaine année. En tout temps, le fonds de roulement permet de régler toutes vos dépenses planifiées sans être tenu d'en retarder le paiement, d'emprunter ou, encore, d'épuiser vos épargnes. Le fonds de roulement devrait représenter plus ou moins l'équivalent d'une fois votre revenu mensuel net. Si vous ne disposez pas de ce montant, vous pouvez le constituer sur une période variant de six à douze mois. Nous verrons la façon de consolider un fonds de roulement dans le chapitre 10. Une fois atteint, vous devrez le maintenir en contrôlant rigoureusement les dépenses planifiées et en effectuant régulièrement vos dépôts dans les comptes bancaires appropriés.

Le fonds d'urgence se veut distinct du fonds de roulement. Il s'agit de liquidités accumulées dans le but de vous permettre de faire face à des situations d'urgence totalement imprévisibles dans votre planification budgétaire. Le fonds d'urgence ne doit surtout pas être utilisé pour régler des dépenses non planifiées à moins, bien évidemment, qu'il ne s'agisse vraiment de situations d'urgence. Ce fonds devrait représenter, une fois complété, entre une fois et deux fois votre revenu mensuel net. Chaque année, vous devez budgétiser un montant dans votre planification budgétaire afin de le régénérer. Les liquidités accumulées devraient être investies dans des placements disponibles à très court terme, et ce, sans frais d'entrée et de sortie. À titre d'exemple, nous suggérons les dépôts à terme rachetables, les obligations à terme, les obligations d'épargne, ainsi que les fonds du marché monétaire.

Avantages de l'utilisation des outils de croissance

Voyons, ci-dessous, sous forme de présentation synthétique, les avantages de maintenir un système de gestion budgétaire, ainsi qu'un fonds de roulement et un fonds d'urgence.

Avantages d'un système de gestion budgétaire :

- prise de conscience de mes ressources financières limitées ;
- choix éclairé de l'allocation de mes ressources financières par priorité ;
- capacité de mieux différencier entre les besoins et les désirs ;
- contrôle judicieux de mes dépenses en tenant compte de ma planification ;
- maîtrise de mon endettement ;
- augmentation du niveau d'épargne ;
- plus grande tranquillité d'esprit, etc.

Avantages du maintien d'un fonds de roulement :

- capacité de faire face en tout temps aux dépenses budgétaires planifiées ;
- capacité de payer à temps la totalité de mes engagements envers mes créanciers ;
- paiement des soldes de mes cartes de crédit tous les mois ;
- non-utilisation de la marge de crédit ;
- réduction des frais et des dépenses d'intérêt sur les cartes de crédit ainsi que sur la marge de crédit ;
- plus grande tranquillité d'esprit, etc.

Avantages du maintien d'un fonds d'urgence :

- capacité de faire face en tout temps aux situations d'urgence ;
- maintien du fonds de roulement ;
- non-utilisation du crédit pour financer les situations d'urgence ;
- plus grande tranquillité d'esprit, etc.

Le cas de la famille Sansoucis

La famille Sansoucis déteste toute forme d'encadrement budgétaire. Ayant vécu dans un milieu où les parents des deux membres du couple se devaient de budgétiser pour respecter leurs obligations, elle refuse de revivre le même scénario et, par conséquent, n'utilise aucun système de gestion. Avec les années, la famille Sansoucis a accumulé des soldes importants sur l'ensemble de ses cartes de crédit ainsi qu'une marge de crédit utilisée au maximum. Elle doit commencer à rembourser un achat à paiement différé le mois prochain et n'a pas d'autres choix que de se faire financer à un taux d'intérêt de 29,9 %, puisque son institution bancaire a refusé de le faire. La famille Sansoucis ne dispose d'aucun fonds d'urgence. Quant au fonds de roulement, il oscille entre 200 $ et 300 $ après paiement du loyer. Depuis six mois, la famille Sansoucis éprouve des difficultés à respecter ses obligations financières. À deux reprises, elle a dû retarder les versements sur son automobile. Son institution refuse d'effectuer une deuxième consolidation de sa dette considérant son niveau d'endettement trop élevé. Elle nous consulte par l'entremise du programme d'aide aux employés pour qu'on l'aide à se sortir du «trou» et que l'on convainque son institution de leur consentir un prêt.

Aujourd'hui, la famille Sansoucis n'a plus vraiment le choix. Son problème, ce n'est pas sa dette, mais plutôt sa surconsommation. Il lui faudra éviter de se faire des illusions quant à l'idée d'obtenir un nouveau refinancement de la dette. Elle n'a vraiment plus le choix, elle doit envisager de changer sa façon de faire, à savoir vivre dorénavant selon ses moyens. Pour cela, elle devra se donner des outils de gestion pour s'aider à réduire son endettement et augmenter ses liquidités. Ces outils sont, en tout premier lieu, la gestion budgétaire, le fonds de roulement ainsi que le fonds d'urgence.

Exercice

Dressez de façon succincte une liste des impacts de l'absence de ces outils sur vos finances personnelles ainsi que sur votre qualité de vie.

Système de gestion budgétaire
(par exemple, difficulté à effectuer des choix judicieux)

_____

_____

_____

_____

_____

_____

_____

_____

Fonds de roulement
(par exemple, difficulté à payer mon loyer à temps)

_____

_____

_____

_____

_____

_____

_____

_____

_____

Fonds d'urgence
(par exemple, obligation de puiser dans ma marge de crédit)

_____

_____

_____

_____

_____

_____

_____

_____

_____

Chapitre 8

La photo de mes finances personnelles

Quand avez-vous rédigé votre bilan financier pour la dernière fois ?

Il est impensable qu'une corporation, une société ou un propriétaire unique puisse se soustraire à la présentation annuelle de son bilan financier. Par contre, peu d'individus ou de couples prennent le temps de rédiger leur bilan financier une fois par année. Quand avez-vous rédigé le vôtre pour la dernière fois ?

Qu'est-ce qu'un bilan financier ?

Pour garder les choses simples, disons que le bilan financier est un outil de gestion qui mesure la croissance ou la décroissance financière. Il permet de visualiser rapidement l'état de sa situation financière à un moment bien précis. C'est, en quelque sorte, un portrait de l'état de ses finances personnelles. Par conséquent, en dressant votre bilan financier une fois par année, vous serez en mesure de constater si votre situation financière est en stagnation, en croissance ou en décroissance *(voir figure 3)*. Par ailleurs, ce document prend toute sa valeur lorsqu'il est comparé au bilan des années antérieures.

Dans la figure 3 (page 96), vous reconnaîtrez trois genres de situations. En dressant votre bilan financier, chaque année,

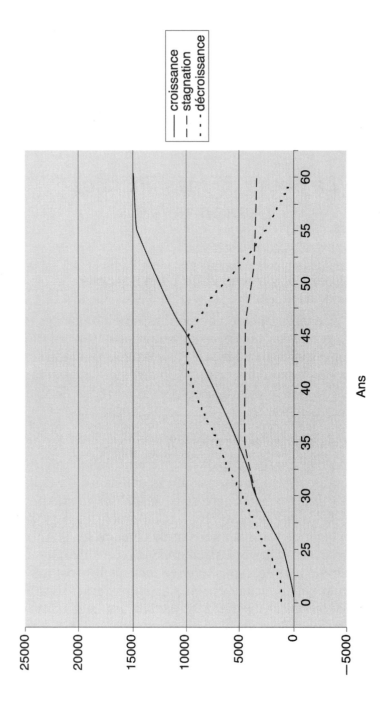

Figure 3 Votre image financière

vous serez en mesure de suivre l'évolution de votre propre situation financière ou celle de votre couple. Je vous incite donc à vous constituer un graphique évolutif et à le mettre à jour régulièrement.

Différenciation entre budget et bilan financier

Lors de mes conférences et de mes ateliers de formation populaire, j'ai souvent constaté que les participants confondaient le budget et le bilan. Il m'apparaît important d'en souligner ici la différence afin que vous puissiez utiliser efficacement ces outils de gestion.

Qu'est-ce qu'un budget? un bilan?

Le budget est un exercice qui permet de planifier l'allocation des revenus par poste budgétaire, tandis que le bilan est un outil qui décrit avec précision l'état de votre situation financière à un moment précis. En bref, le bilan financier permet d'établir ce que vous possédez, ce que vous devez et ce que vous valez financièrement.

Tableau 20 Budget annuel de Madame L'Espérance		
Revenus $		
....	16 400	
....	800	
....	1 200	
Total des revenus		18 400 $
Dépenses $		
1.1....................	400	
1.2....................	1 200	
1.3....................	4 600	
1.4....................	1 200	
1.5....................	600	
1.6....................	6 800	
1.7....................	2 100	
1.8....................	360	
1.9....................	200	
Total des dépenses		17 460 $
Surplus budgétaire		**940 $**

Tableau 21		
Bilan de Madame L'Espérance		
ACTIF (ce qu'elle possède)		
– argent en banque	1 000 $	
– obligations d'épargne	3 000 $	
– fonds d'investissement	2 500 $	
Total de l'actif		*6 500 $*
PASSIF (ce qu'elle doit)		
– comptes à payer	300 $	
– achat à paiements différés	600 $	
– cartes de crédit	400 $	
– emprunts personnels	3 600 $	
Total du passif		*4 900 $*
VALEUR NETTE (ce qu'elle vaut financièrement)		**1 600 $**

Les éléments d'un bilan financier personnel

Nous avons vu précédemment une définition du bilan financier. Voyons maintenant comment il est composé. Le bilan étant l'image financière d'un individu ou d'un couple à un moment précis, il doit donc faire ressortir les trois éléments suivants:

– l'actif;

– le passif;

– la valeur nette.

L'actif

L'actif représente tout ce que vous possédez. Cette partie de votre bilan comprendra une description de tous les biens par catégories: les liquidités, les placements et les biens personnels tels que résidence unifamiliale, auto, bateau, collections, etc.[1]

Le passif

Le passif représente tout ce que vous devez. Cette partie de votre bilan comprendra une description de toutes les dettes

---

1. Sont exclus les biens meubles ainsi que les vêtements.

par catégories : les dettes à court terme (un an et moins), les dettes à moyen terme (un an à cinq ans) et les dettes à plus long terme (cinq ans et plus).

La valeur nette

La valeur nette représente ce que vous valez financièrement. C'est la différence entre l'actif et le passif, c'est-à-dire entre ce que vous possédez et ce que vous devez. Une fois cette opération complétée, vous serez en mesure de connaître votre valeur financière. C'est ce montant qui est le plus important. En le comparant avec celui des années antérieures, il vous indiquera s'il y a enrichissement ou appauvrissement.

Quelques principes comptables

Le bilan financier personnel se veut moins technique et rigoureux que le bilan d'entreprise. Il serait sage cependant de retenir quelques principes comptables qui en faciliteront la compréhension :

– principe de l'entité ;

– principe de la continuité ;

– principe de conservatisme ;

– principe de la divulgation.

Définition de ces principes

Le principe de l'entité est la base sur laquelle le bilan financier personnel reposera, qu'il s'agisse du bilan personnel ou du bilan du couple. Le but visé ainsi que les objectifs poursuivis pourront influencer ce principe.

Le principe de la continuité établit que, lors de la préparation du bilan, vous ne tenez pas compte de diverses éventualités telles que décès, invalidité, divorce, faillite ou toute autre situation qui entraînerait une liquidation forcée du patrimoine familial.

Le principe de conservatisme consiste à établir une valeur estimative réaliste de l'ensemble de vos biens. Cette valeur représente, en quelque sorte, le montant que vous pourriez obtenir si vous vendiez ces biens, ou encore si vous deviez les liquider.

Le principe de la divulgation consiste à intégrer dans votre bilan toutes les informations pertinentes qui seraient susceptibles de modifier votre portrait financier. L'absence d'élément d'information pourrait biaiser l'évaluation et la décision d'un utilisateur éventuel, tel un prêteur.

Le bilan personnel de Claude

Afin de vérifier votre compréhension et de vous aider à rédiger votre propre bilan, nous vous suggérons de préparer le bilan personnel de Claude en utilisant les données ci-dessous. N'oubliez pas de tenir compte des principes comptables.

Claude est un célibataire de 32 ans. Il occupe, depuis 8 ans, le poste de directeur adjoint des ressources humaines dans une entreprise privée. Ses revenus nets s'établissent à près de 24 000 $ par année (42 000 $ brut).

Ensemble des avoirs et des dettes de Claude

- Impôt à payer   500 $
- Valeur de l'automobile   4 200 $
- Soldes sur cartes de crédit: 2 750 $
  - MasterCard   1 450 $
  - Simon's   850 $
  - Ultramar   450 $
- Argent en banque   500 $
- Prêt à un parent   250 $
- Obligations d'épargne   500 $
- Solde sur marge de crédit   2 000 $
- Oeuvres d'art   500 $
- Emprunt personnel (automobile)   6 800 $
- Comptes à payer (achat à paiements différés)   1 200 $

- Part dans une société en commandite
  acquise à 5 000 $ dont la valeur au
  marché est estimée à près de 1 000 $ (à déterminer)
- Assurance-vie au décès de Claude   100 000 $
- Emprunt à son frère remboursable dans
  deux ans (aucun document légal)   2 000 $
- Valeur du chalet de son amie   30 000 $

BILAN DE _____   DATE

ACTIF COURANT

Argent en main	_____	$
Argent en banque	_____	
Obligations d'épargne	_____	
Impôt à recevoir	_____	
Valeur listée des placements	_____	
Comptes à recevoir	_____	
Taxes payées à l'avance	_____	
Billets à recevoir	_____	
Dépôts à terme	_____	
Marchandises en main	_____	
Autre actif...............	_____	
Total de l'actif courant:	_____	$

ACTIF FIXE

Valeur de rachat (assurance-vie)	_____	$
Valeur non listée	_____	
Prêt hypothécaire	_____	
Résidence familiale	_____	
Immeuble(s)	_____	
Automobile(s)	_____	
Fournitures et équipements	_____	
Prêts à des particuliers, etc.	_____	
Régime enregistré d'épargne-retraite	_____	
Fonds de pension enregistré	_____	
Autre actif.............	_____	
Total de l'actif fixe:	_____	$
TOTAL DE L'ACTIF:	_____	$

PASSIF EXIGIBLE À COURT TERME

Comptes à payer _____ $

Solde sur cartes de crédit _____

Solde sur marges de crédit _____

Achat à paiements différés _____

Impôt fédéral et provincial à payer _____

Emprunts personnels _____

Emprunts à des particuliers _____

Versements sur contrat _____

Autre passif............... _____

**Total du passif exigible
à court terme** _____ $

PASSIF EXIGIBLE À MOYEN ET LONG TERME

Emprunts payables après 5 ans _____ $

Emprunts sur assurance-vie _____

Hypothèque(s) sur immeuble(s) _____

**Total du passif exigible
à moyen et long terme** _____ $

TOTAL DES PASSIFS: _____ $

VALEUR NETTE: _____ $

**TOTAL DU PASSIF ET
VALEUR NETTE:** _____ $

RÉPONSE À L'EXERCICE

BILAN DE Claude   DATE

ACTIF COURANT

Argent en main	_____ $	
Argent en banque	500	
Obligations d'épargne	500	
Impôt à recevoir	_____	
Valeur listée des placements	_____	
Comptes à recevoir	_____	
Taxes payées à l'avance	_____	
Billets à recevoir	_____	
Dépôts à terme	_____	
Marchandises en main	_____	
Autre actif..............	_____	
Total de l'actif courant:		**1 000 $**

ACTIF FIXE

Valeur de rachat (assurance-vie)	_____ $	
Valeur non listée	1 000	
Prêt hypothécaire	_____	
Résidence familiale	_____	
Immeuble(s)	_____	
Automobile(s)	4 200	
Fournitures et équipements	_____	
Prêts à des particuliers, etc.	250	
Régime enregistré d'épargne-retraite	_____	
Fonds de pension enregistré	_____	
Autre actif (œuvres d'art)	500	
Total de l'actif fixe:		**5 950 $**
TOTAL DE L'ACTIF:		**6 950 $**

PASSIF EXIGIBLE À COURT TERME

Comptes à payer	_____ $
Solde sur cartes de crédit	2 750
Solde sur marges de crédit	2 000
Achat à paiements différés	1 200
Impôt fédéral et provincial à payer	500
Emprunts personnels	6 800
Emprunts à des particuliers	_____
Versements sur contrat	_____
Autre passif...............	_____
Total du passif exigible à court terme	**13 250 $**

PASSIF EXIGIBLE À MOYEN ET LONG TERME

Emprunts payables après 5 ans	2 000 $
Emprunts sur assurance-vie	_____
Hypothèque(s) sur immeuble(s)	_____
Total du passif exigible à moyen et long terme	**2 000 $**
TOTAL DU PASSIF:	**15 250 $**
VALEUR NETTE:	**(8 300) $**
TOTAL DU PASSIF ET VALEUR NETTE:	**6 950 $**

Commentaires généraux sur le bilan de Claude

Le bilan personnel de Claude démontre une valeur nette négative de 8 300 $. Étant donné que Claude est sur le marché du travail depuis plus de huit ans, nous pouvons en conclure qu'il a une tendance marquée à l'endettement.

Dans la préparation du bilan, vous avez réparti les différentes données entre l'actif et le passif. Une fois les montants calculés pour chaque poste du bilan, vous avez effectué les totaux et soustrait le total du passif du total de l'actif pour obtenir la valeur nette. Vous avez tenu compte des principes comptables suivants : principe de l'entité (chalet de son amie), principe de la continuité (assurance-vie au décès), principe de conservatisme (société en commandite) et principe de la divulgation (emprunt à son frère).

Analyse du bilan de Claude

L'analyse d'un bilan personnel permet d'obtenir une multitude de renseignements tels le niveau de liquidités des avoirs, l'ampleur de l'endettement, la valeur nette du patrimoine, etc.

À partir du bilan personnel de Claude, formulez vos commentaires en vous inspirant des connaissances acquises jusqu'à maintenant :

Commentaires sur le bilan de Claude

- Fonds de roulement insuffisant, voire faible (faibles liquidités dans les comptes de banque par rapport aux revenus nets);
- Fonds d'urgence insuffisant, voire faible (faibles liquidités dans des placements réalisables à très court terme permettant de faire face aux situations d'urgence);
- Aucune provision pour l'achat de la prochaine automobile;
- Aucune provision pour le paiement des achats à paiements différés;
- Achat prématuré d'un investissement à risque élevé[2] (société en commandite);
- Accumulation des soldes sur les cartes de crédit;
- Niveau d'endettement élevé;
- Valeur nette négative.

Votre bilan financier (Exercice)

Maintenant que vous avez rédigé et analysé le bilan personnel de Claude, pourquoi ne pas préparer le vôtre? Utilisez la page suivante et dresser votre bilan. Ensuite, formulez vos commentaires sur votre situation.

---

2. Avant de songer à un tel investissement, Claude aurait dû établir son fonds de roulement ainsi que son fonds d'urgence. De plus, il aurait dû focaliser sur le remboursement de sa dette ainsi que sur la capitalisation dans un régime enregistré d'épargne-retraite. Cet investissement nous apparaît prématuré.

BILAN DE _____   DATE

ACTIF COURANT

Argent en main   _____ $

Argent en banque   _____

Obligations d'épargne   _____

Impôt à recevoir   _____

Valeur listée des placements   _____

Comptes à recevoir   _____

Taxes payées à l'avance   _____

Billets à recevoir   _____

Dépôts à terme   _____

Marchandises en main   _____

Autre actif..............   _____

Total de l'actif courant: _____ $

ACTIF FIXE

Valeur de rachat (assurance-vie)   _____ $

Valeur non listée   _____

Prêt hypothécaire   _____

Résidence familiale   _____

Immeuble(s)   _____

Automobile(s)   _____

Fournitures et équipements   _____

Prêts à des particuliers, etc.   _____

Régime enregistré d'épargne-retraite _____

Fonds de pension enregistré   _____

Autre actif (œuvres d'art)   _____

Total de l'actif fixe: _____

TOTAL DE L'ACTIF: _____

PASSIF EXIGIBLE À COURT TERME

Comptes à payer _____ $

Solde sur cartes de crédit _____

Solde sur marges de crédit _____

Achat à paiements différés _____

Impôt fédéral et provincial à payer _____

Emprunts personnels _____

Emprunts à des particuliers _____

Versements sur contrat _____

Autre passif............... _____

**Total du passif exigible
à court terme** _____

PASSIF EXIGIBLE À MOYEN ET LONG TERME

Emprunts payables après 5 ans _____

Emprunts sur assurance-vie _____

Hypothèque(s) sur immeuble(s) _____

**Total du passif exigible
à moyen et long terme** _____

TOTAL DU PASSIF: _____

VALEUR NETTE: _____

**TOTAL DU PASSIF ET
VALEUR NETTE:** _____

Vos commentaires sur votre bilan personnel

Chapitre 9

Les cinq éléments clés d'un système de gestion budgétaire

Définition d'un système de gestion budgétaire

Par système de gestion budgétaire, nous entendons un ensemble d'éléments qui favorisent une saine gestion de ses revenus. Afin d'être efficace, un tel système se doit d'intégrer les éléments suivants:

– le bilan financier;
– la planification budgétaire;
– l'équilibre budgétaire;
– le démarrage;
– le contrôle budgétaire.

Pourquoi un système de gestion budgétaire?

Dans le chapitre 7, nous avons dressé une liste des avantages. Nous n'y reviendrons pas, sinon pour souligner le fait qu'il serait impensable d'envisager qu'une entreprise, de quelque dimension que ce soit, puisse opérer aujourd'hui sans système de gestion budgétaire. Dans bien des cas, il n'est pas rare de constater que des revenus familiaux sont autant, voire plus élevés, que ceux de certaines petites entreprises. Tout comme pour celles-ci, il va de soi que, si nous désirons atteindre la croissance financière, il est indispensable de se doter d'un bon système de gestion.

Les cinq étapes de l'implantation d'un système de gestion budgétaire

Il y a plusieurs étapes à franchir avant que devienne opérationnel un système de gestion budgétaire. Je n'aborderai pas dans cet ouvrage les nombreux systèmes disponibles sur le marché. Celui que je vous propose a fait l'objet, depuis plusieurs années, d'expérimentations auprès des nombreux clients qui nous ont consultés. La méthode «FORMA-VIE»[1] est tout indiquée pour les individus et les familles de la classe moyenne. Nous verrons les diverses étapes de l'implantation de la méthode «FORMA-VIE» dans l'ordre ci-dessous:

- la rédaction du bilan financier;
- la planification budgétaire;
- l'équilibre budgétaire;
- le contrôle budgétaire;
- le démarrage.

Le bilan financier

La première étape de l'implantation d'un système de gestion budgétaire consiste à dresser votre bilan financier personnel ou familial de façon à obtenir un portrait de votre situation financière. Une fois le premier bilan financier établi, il sera intéressant de le comparer avec celui de la prochaine année et ainsi de suite. Le bilan financier prend donc sa véritable signification lorsque vous pouvez le comparer avec ceux des années antérieures. Ainsi, il vous sera possible, chaque année, de mesurer l'état de croissance ou de décroissance de votre situation financière personnelle ou familiale. Comme nous avons déjà consacré un chapitre à la rédaction et à l'analyse du bilan, nous ne reviendrons pas sur les aspects techniques de celui-ci. Vous pourrez toujours vous reporter aux chapitres antérieurs au besoin.

---

1. La méthode de gestion budgétaire «FORMA-VIE» est une approche éducative qui a été développée par l'auteur. Le terme «FORMA-VIE» représente l'abréviation de *formation pour la vie*.

La planification budgétaire

La planification budgétaire est la distribution de vos ressources financières entre l'ensemble des postes budgétaires en fonction des objectifs de vie que vous vous êtes donnés. C'est un choix rationnel que vous exercez afin de répartir vos ressources disponibles selon vos besoins et ceux de votre famille.

La première étape de la planification budgétaire consiste à établir la liste de tous vos revenus nets[2] sur une base annuelle. La deuxième étape consiste à déterminer l'ensemble des dépenses projetées pour la prochaine année. Ces dépenses sont divisées en trois catégories : les dépenses fixes, les dépenses variables et les dépenses courantes.

---

2. Par revenus nets, nous entendons les revenus après déduction à la source des montants statutaires tels impôts, cotisations syndicales, régimes de retraite, etc. Pour les travailleurs autonomes, il s'agit des revenus bruts moins l'ensemble des dépenses d'exploitation.

Tableau 22 Revenus			
Revenus nets	**Annuel**	**Total**	**Période (52)**
Revenus d'emploi (de Monsieur)	_____ $		
Revenus d'emploi (de Madame)	_____ $		
Revenus de loyers	_____ $		
Revenus d'intérêt	_____ $		
Allocations familiales	_____ $		
Pension alimentaire	_____ $		
Autres revenus	_____ $		
Total des revenus nets		_____ $	
			_____ $[3]

Vos revenus nets correspondent généralement à votre salaire après toutes les déductions. Quant aux autres revenus, vous devez aussi les inscrire même si vous prévoyez payer des impôts additionnels en fin d'exercice financier. Un poste budgétaire a été prévu dans votre planification pour vos impôts à payer *(consultez le tableau des dépenses fixes, poste budgétaire 1.5)*.

---

3. Ce montant représente 1/52 de votre revenu annuel net. Nous avons choisi une fréquence hebdomadaire afin d'illustrer notre exemple. Vous pouvez cependant choisir une autre période qui vous convient davantage.

Tableau 23
Dépenses fixes

Dépenses fixes	Annuel Total	Période (52)
1.0 Fonds d'urgence	_____ $	
1.1 Régime enregistré d'épargne-retraite	_____	
1.2 Remboursement R.A.P. (Rég. Accès propriété)	_____	
1.3 Épargne projet 1	_____	
1.4 Épargne projet 2	_____	
1.5 Réserve pour impôts	_____	
1.6 Réserve achat paiements différés	_____	
1.7 Réserve achat ameublement électroménagers	_____	
1.8 Réserve achat automobile	_____	
1.9 Location automobile	_____	
1.10 Immatriculation/permis	_____	
1.11 Stationnement bureau	_____	
1.12 Assurance automobile	_____	
1.13 Assurance accident	_____	
1.14 Assurance-vie/invalidité	_____	
1.15 Autres assurances	_____	
1.16 Assurances propriétaire ou locataire	_____	
1.17 Prêt hypothécaire, taxes, frais communs	_____	
1.18 Loyer	_____	
1.19 Électricité	_____	
1.20 Chauffage	_____	
1.21 Téléphone, cellulaire, Internet	_____	
1.22 Câble	_____	
1.23 Remboursement d'emprunts (inst. financière)	_____	
1.24 Remboursement d'emprunts (particuliers)	_____	
1.25 Remboursement de marges de crédit	_____	
1.26 Remboursement de cartes de crédit	_____	
1.27 Vêtements	_____	
1.28 Vacances	_____	
1.29 Honoraires professionnels	_____	
1.30 Cotisations professionnelles	_____	
1.31 Frais financiers/ bancaires	_____	
1.32 Autre	_____	
1.33 Autre	_____	
TOTAL DES DÉPENSES FIXES	_____ $[4]	

---

4. Ce montant représente le coût moyen des dépenses fixes par période de paye, soit 1/52 des coûts annuels fixes.

Les dépenses fixes représentent tous les débours gérés par le système de gestion budgétaire qui reviennent à intervalle régulier. Ces dépenses sont prévisibles avec une marge d'erreur assez faible et doivent être en tout temps supérieures à 10 $. Les débours en deçà de ce montant seront intégrés dans les dépenses courantes (tableau 25). À noter que les montants qui ont déjà été prélevés à la source ne doivent pas être inscrits à nouveau.

Tableau 24
Dépenses variables

Dépenses variables	Annuel	Total	Période (52)
2.0 Essence	_____	$	
2.1 Entretien, réparations automobiles	_____		
2.2 Entretien ameublement /électroménagers	_____		
2.3 Entretien ménager	_____		
2.4 Entretien de la maison (intérieur)	_____		
2.5 Entretien de la maison (extérieur)	_____		
2.6 Lingerie	_____		
2.7 Frais de gardienne et garderie	_____		
2.8 Frais médicaux/médicaments	_____		
2.9 Cadeaux	_____		
2.10 Dons de charité	_____		
2.11 Soins esthétiques/ Coiffure	_____		
2.12 Produits de beauté	_____		
2.13 Loisirs: culture, sport, hobby	_____		
2.14 Équipements sportifs	_____		
2.15 Frais de scolarité/activités parascolaires	_____		
2.16 Restaurant	_____		
2.17 Épicerie en gros (Costco, etc.)	_____		
2.18 Abonnements: journaux, revues, livres, etc.	_____		
2.19 Soins des animaux	_____		
2.20 Autre	_____		
2.21 Autre	_____		
2.22 Divers	_____		
TOTAL DES DÉPENSES VARIABLES			_____ $[5]

5. Ce montant représente le coût moyen des dépenses variables par période de paye, soit 1/52 des coûts variables annuels.

Les dépenses variables représentent tous les débours gérés par le système de gestion budgétaire et qui ne reviennent pas à intervalle régulier. Ces dépenses sont généralement prévisibles, et la marge d'erreur est plus ou moins grande. Tout comme pour les dépenses fixes, chaque débours doit être en tout temps supérieur à 10 $. À noter que les montants qui ont été prélevés à la source ne doivent pas être inscrits à nouveau.

Tableau 25
Dépenses courantes

Dépenses courantes	Annuel	Total	Période (52)
– Nourriture/produits ménagers	_____		_____ $
– Divers maison	_____		_____
– Dépenses personnelles (Monsieur)	_____		_____
– Dépenses personnelles (Madame)	_____		_____
– Dépenses personnelles (enfants)	_____		_____
– Essence (achats au comptant)	_____		_____
– Autre	_____		_____
TOTAL DES DÉPENSES COURANTES		_____ $	_____ $[6]

Les dépenses courantes représentent tous les débours que vous déciderez d'effectuer en argent comptant et qui ne seront pas comptabilisés par le système. À chaque période de paye, vous effectuerez un ou plusieurs retraits ne dépassant pas le montant planifié pour la période. Afin de simplifier la gestion de votre système, vous devrez acquitter au comptant les dépenses ci-dessus mentionnées ainsi que celles inférieures à 10 $.

L'équilibre budgétaire

L'étape de l'équilibre budgétaire consiste à équilibrer les dépenses et les revenus. Avant d'en arriver à cette équation budgétaire, il se peut que vous ayez à refaire vos devoirs à

---

6. Ce montant représente le coût moyen des dépenses courantes par période de paye, soit 1/52 des coûts annuels des dépenses courantes.

plusieurs reprises. Cet exercice est cependant indispensable à la bonne marche de votre système. Si, après plusieurs heures de travail, vous n'arrivez pas à équilibrer votre budget, c'est que vous avez probablement un sérieux problème d'endettement. Dans ce cas, n'hésitez pas à consulter votre programme d'aide aux employés ou toute autre personne-ressource compétente en la matière.

Tableau 26
Résultats de l'exercice budgétaire

	Total	Période ( )
GRAND TOTAL DES DÉPENSES	_____ $	_____ $[7]
EXCÉDENT OU (DÉFICIT)	_____ $	_____ $[8]

Vous trouverez ci-dessous un exemple de document que vous pourriez utiliser pour préparer votre planification budgétaire. Afin de vous faciliter la tâche, une liste descriptive de certains postes budgétaires vous est offerte. Remarquez que tous les postes budgétaires gérés par votre système sont numérotés. Les postes non numérotés représentent les dépenses que vous effectuerez en espèces.

Tableau 27
Planification budgétaire

Revenus nets	Annuel	Total	Période ( )
– Revenus d'emploi (Monsieur)	_____		
– Revenus d'emploi (Madame)	_____		
– Revenus de loyers	_____		
– Revenus d'intérêt	_____		
– Remboursement d'impôt	_____		
– Allocations familiales	_____		
– Pension alimentaire	_____		
– Autre	_____		
TOTAL DES REVENUS		_____	_____ $

---

7. Ces montants représentent la moyenne de l'ensemble des dépenses sur une période hebdomadaire ainsi que la moyenne de l'excédent ou du déficit.

8. S'il y a déficit, celui-ci devra apparaître entre parenthèses.

Tableau 27
Planification budgétaire (suite)

Dépenses fixes	Annuel	Total	Période ( )
1.0 Fonds d'urgence	_____ $		
1.1 Régime enregistré d'épargne-retraite	_____		
1.2 Remboursement R.A.P. (Rég. accès prop.)	_____		
1.3 Épargne projet 1	_____		
1.4 Épargne projet 2	_____		
1.5 Réserve pour impôts	_____		
1.6 Réserve achat paiements différés	_____		
1.7 Réserve achat ameublement/électro.	_____		
1.8 Réserve achat véhicule automobile	_____		
1.9 Location véhicule automobile	_____		
1.10 Immatriculation / permis	_____		
1.11 Stationnement bureau	_____		
1.12 Assurance automobile	_____		
1.13 Assurance accident	_____		
1.14 Assurance vie / invalidité	_____		
1.15 Autres assurances	_____		
1.16 Assurances propriétaire ou locataire	_____		
1.17 Prêt hypothécaire, taxes, frais communs	_____		
1.18 Loyer	_____		
1.19 Électricité	_____		
1.20 Chauffage	_____		
1.21 Téléphone, cellulaire, Internet	_____		
1.22 Câble	_____		
1.23 Prêts personnels	_____		
1.24 Prêts à des particuliers	_____		
1.25 Remboursement des marges de crédit	_____		
1.26 Remboursement des cartes de crédit	_____		
1.27 Vêtements	_____		
1.28 Vacances	_____		
1.29 Honoraires professionnels	_____		
1.30 Cotisations professionnelles	_____		
1.31 Frais financiers/ bancaires	_____		
1.32 Autre	_____		
1.33 Autre	_____		
TOTAL DES DÉPENSES FIXES	_____ $	_____ $	

Tableau 27
Planification budgétaire (suite)

Dépenses variables	Annuel	Total	Période ( )
2.0 Essence	_____ $		
2.1 Entretien réparations automobiles	_____		
2.2 Entretien ameublement/électroménagers	_____		
2.3 Entretien ménager	_____		
2.4 Entretien de la maison (intérieur)	_____		
2.5 Entretien de la maison (extérieur)	_____		
2.6 Lingerie	_____		
2.7 Frais de gardienne et garderie	_____		
2.8 Frais médicaux/médicaments	_____		
2.9 Cadeaux	_____		
2.10 Dons de charité	_____		
2.11 Soins esthétiques/ Coiffure	_____		
2.12 Produits de beauté	_____		
2.13 Loisirs: culture, sport, hobby	_____		
2.14 Équipements sportifs	_____		
2.15 Frais de scolarité / activités parascolaires	_____		
2.16 Restaurant	_____		
2.17 Épicerie en gros (Costco, etc.)	_____		
2.18 Abonnements: journaux, revues, livres, etc.	_____		
2.19 Soins des animaux	_____		
2.20 Autre	_____		
2.21 Autre	_____		
2.22 Divers	_____		
TOTAL DES DÉPENSES VARIABLES		_____ $	_____ $

Dépenses courantes	Annuel	Total	Période ( )
– Nourriture et produits ménagers	_____ $		_____ $
– Divers maison	_____ $		_____ $
– Dépenses personnelles (Monsieur)	_____ $		_____ $
– Dépenses personnelles (Madame)	_____ $		_____ $
– Dépenses personnelles (enfants)	_____ $		_____ $
– Essence (achats au comptant)	_____ $		_____ $
– Autre	_____ $		_____ $
TOTAL DES DÉPENSES COURANTES		_____ $	_____ $
GRAND TOTAL DES DÉPENSES		_____ $	_____ $
EXCÉDENT OU (DÉFICIT)		_____ $	_____ $

Description de certains postes budgétaires

Afin de vous faciliter la tâche, nous avons cru bon de formuler quelques commentaires et suggestions à l'égard de certains postes budgétaires.

1.0   Ce poste budgétaire a pour objet d'accumuler systématiquement de l'épargne en prévision des situations d'urgence.

1.2   Ce poste a pour objet de prévoir les sommes requises dans le but de rembourser dans votre REER les sommes dues en vertu du régime d'accès à la propriété.

1.3 et 1.4   Ces postes sont consacrés à tout genre d'épargnes et apparaissent avant les dépenses de consommation. Ces épargnes vous permettent de planifier la réalisation de projets à court, moyen et long terme : voyage en Europe, achat d'un terrain, achat d'ameublement, achat d'un véhicule automobile, etc.

1.5   Ce poste a pour objet de prévoir les impôts à payer lors de la production de votre prochaine déclaration d'impôt.

1.6   Ce poste a pour objet de prévoir le remboursement à l'échéance des achats à paiements différés.

1.7 et 1.8   Ces postes sont consacrés à l'achat éventuel d'ameublement ainsi que de véhicules automobiles.

1.12 à 1.16   Ces postes excluent toutes les dépenses afférentes aux assurances collectives et autres prélèvements à la source. Vous pouvez cependant les inscrire entre parenthèses sans toutefois les inclure dans le total des dépenses.

1.25   N'oubliez pas d'inclure dans votre budget le remboursement du solde de votre marge de crédit. Le montant à inscrire devrait représenter 3 % du solde mensuel annualisé (minimum de 50 $).

Ex.: solde de 2 000 $.

$$[(2\ 000\ \$ \times 3\ \%) = (60\ \$ \times 12)] = 720\ \$$$

1.26   N'oubliez pas d'inclure dans votre budget le remboursement du solde de vos cartes de crédit. Généralement, ce montant doit représenter 5 % par mois du solde mensuel annualisé.

Ex.: solde de 3 000 $.

$$[(3\ 000\ \$ \times 5\ \%) = (150\ \$ \times 12)] = 1\ 800\ \$$$

1.27 et 1.28   Ces postes ne représentent pas de véritables dépenses fixes; cependant, nous recommandons de les intégrer dans cette catégorie de dépenses. Compte tenu que ces postes budgétaires sont importants pour votre qualité de vie, il est préférable de les gérer dans la catégorie fixe plutôt que dans les dépenses variables.

1.28   Ce poste peut inclure, en plus des prévisions pour les vacances, les déplacements à l'extérieur de votre région ainsi que les fins de semaine de vacances à l'extérieur de la maison.

1.29   Ce poste ne comprend pas les frais médicaux. Vous pouvez y intégrer les frais juridiques et comptables prévisibles.

1.30   Les cotisations professionnelles prélevées à la source ne doivent pas être intégrées au budget.

1.31   Ce poste comprend les frais bancaires, les frais de courtage en valeurs mobilières et les frais d'administration des institutions financières.

2.0   Ce poste est utilisé seulement si vous décidez d'intégrer cette dépense dans votre système de gestion budgétaire. Si vous payez en espèces votre essence, utilisez le poste essence de la partie des dépenses courantes.

2.8 Ce poste est utilisé pour couvrir les dépenses médicales non remboursées par votre régime d'assurance collective.

2.16 N'oubliez pas que toutes les dépenses de moins de 10 $ ne doivent pas être comptabilisées par votre système. Donc, les repas du midi inférieurs à 10 $ doivent faire partie de vos dépenses courantes.

2.17 Ce poste n'intègre pas les achats hebdomadaires de nourriture. Il permet de planifier les achats en gros tels que plan de congélateur, détaillants en gros, etc.
Ex.: Costco.

2.22 Ce poste représente les dépenses mineures qui n'ont pas été intégrées dans votre planification budgétaire. Afin d'éviter une description exhaustive de tous ces postes dans votre planification budgétaire, je vous suggère de les regrouper à l'intérieur d'un seul poste.
Ex.: – déductible pour réclamation à vos assureurs;
– contraventions;
– nettoyage de tapis, etc.
Pour calculer ce poste, vous comptez plus ou moins 10 % du total des dépenses variables.

Le démarrage du système

Le démarrage de la méthode de gestion budgétaire «FORMA-VIE» est la dernière étape de la mise en application du système de gestion budgétaire. Nous verrons dans le prochain chapitre les aspects techniques de la mise en opération de ce système.

Quelle que soit la précision avec laquelle vous avez effectué l'exercice sur la planification budgétaire, vous ne pouvez prétendre gérer rigoureusement votre budget sans un contrôle de vos dépenses. Nous avons déjà vu que la planification budgétaire consistait à répartir les revenus disponibles entre les divers postes budgétaires.

Le contrôle budgétaire a pour objet d'exercer une surveillance sur chaque poste du budget, et ce, en fonction des objectifs établis initialement dans la planification budgétaire. Cette surveillance s'effectue par poste en tenant compte du budget annuel ainsi que de la période écoulée au cours de l'année.

Exemple: La famille L'Espérance a décidé d'allouer un budget de 1 800 $ par année (150 $ par mois) au poste vêtements. Considérant que son année budgétaire commence le 1er janvier, de quel montant dispose-t-elle en date du 1er mai pour ses prochains achats?

Tableau 28
Contrôle budgétaire (exemple)

1.20 VÊTEMENTS		BUDGET MENSUEL: BUDGET ANNUEL:				150 $ 1 800 $
Date	Description	Dépense	Cumulatif	Solde	Écart (+ ou −)	
15 – 01 –..	2 chemises, souliers	150 $	150 $	1 650 $		
20 – 02 –..	sous-vêtements	80 $	230 $	1 570 $		
08 – 03 –..	1 jupe, bas, foulard	125 $	355 $	1 445 $		
15 – 03 –..	veste de cuir	200 $	555 $	1 245 $		
30 – 04 –..	1 pantalon, chemises	155 $	710 $	1 090 $	− 110 $	

Réponse: La famille L'Espérance ne dispose d'aucun montant à cette date puisqu'elle a dépassé son budget de 110 $. En date du 1ᵉʳ mai, elle ne devrait pas avoir dépensé plus de 600 $ (soit 4 mois X 150 $). Madame L'Espérance doit considérer que certains postes du budget sont proportionnels à la période écoulée à l'intérieur de l'année budgétaire.

Tableau 29
Contrôle budgétaire

BUDGET MENSUEL: _____
BUDGET ANNUEL: _____

Date	Description	Dépense	Cumulatif	Solde	Écart (+ ou –)

Votre gestion budgétaire

À partir des éléments que nous venons de voir, vous êtes en mesure de préparer votre planification budgétaire et d'exercer un contrôle sur vos dépenses. Utilisez les formules vierges du système de gestion et montez votre propre manuel de gestion. N'oubliez pas: chaque poste budgétaire codé doit obligatoirement se retrouver dans la section contrôle.

Une fois votre cahier monté, pourquoi ne pas préparer votre budget pour la prochaine année?

Chapitre 10

Le démarrage de la méthode de gestion budgétaire «FORMA-VIE»

Les principales étapes de la mise sur pied du système de gestion budgétaire

Nous avons jusqu'à maintenant abordé quatre des cinq étapes du système de gestion budgétaire, soit le bilan, la planification budgétaire, l'équilibre budgétaire et le contrôle budgétaire. Dans ce chapitre, nous verrons les aspects techniques du démarrage du système de gestion budgétaire «FORMA-VIE». Bien sûr, il est possible de gérer son budget de façon sommaire tout en se limitant à la planification budgétaire et au contrôle. Cependant, nous croyons qu'un bon système vous facilitera la tâche et vous aidera à atteindre vos objectifs de croissance.

Voici les aspects techniques à considérer pour démarrer le système de gestion «FORMA-VIE»:

– l'acquittement des comptes à payer;

– l'ouverture des comptes bancaires;

– l'établissement du fonds de roulement;

– l'établissement du fonds d'urgence;

– la mise en marche du système.

L'acquittement des comptes à payer

Avant de mettre sur pied votre système de gestion, il est impératif que vous acquittiez tous vos comptes à payer; votre système a en effet été conçu pour vous aider à gérer uniquement les dépenses planifiées pour la prochaine année budgétaire. Par comptes à payer, nous entendons les divers comptes en souffrance: factures d'électricité, factures de téléphone ou autres factures impayées.

L'ouverture des comptes bancaires

Afin de gérer efficacement votre système de gestion budgétaire, vous devrez détenir trois comptes en banque:

- le compte réservoir;
- le compte fixe;
- le compte variable.

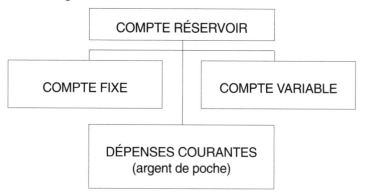

Figure 4 Ouverture des comptes bancaires

Voyons maintenant la définition et la mission de ces divers comptes.

Le compte réservoir

Ce compte a pour objet de canaliser l'ensemble de vos revenus, d'accumuler les surplus, d'alimenter les comptes fixes et variables et de vous permettre de prélever vos dépenses courantes (argent de poche). Selon la période de paye que vous choisissez, soit hebdomadaire ou aux deux semaines, vous transférez par la suite les montants requis à chaque période dans vos comptes fixe et variable et vous retirez les sommes nécessaires pour vos dépenses courantes de ladite période *(voir figure 5)*.

Les montants transférés correspondent à la proportion des dépenses annuelles prévues selon la période de rémunération choisie.

Exemple selon une période hebdomadaire:

– dépenses fixes annuelles planifiées   = 18 000 $
– période choisie   = hebdomadaire
– montant à transférer 18 000 $ / 52   = 346,15 $

Le compte fixe

Le compte fixe sert à gérer toutes les dépenses fixes que vous avez planifiées dans votre budget. Ces dépenses, comme nous l'avons déjà vu, sont prévisibles avec une très faible marge d'erreur et reviennent en grande partie à intervalle régulier. Consultez le tableau 27 sur la planification budgétaire au chapitre 9.

Le compte variable

Le compte variable sert à gérer toutes les dépenses variables que vous avez planifiées dans votre budget. Ces dépenses, comme nous l'avons déjà vu, sont prévisibles avec une marge d'erreur plus ou moins grande et ne reviennent pas à intervalle régulier. Consultez le tableau 27 sur la planification budgétaire au chapitre 9.

Les dépenses courantes

Les dépenses courantes ne sont pas gérées dans un compte en banque. Selon la période de paye choisie, vous retirez de votre compte réservoir les sommes nécessaires pour une période donnée. Si vous jugez que le montant est trop élevé, vous pouvez le retirer à diverses fréquences en utilisant votre carte de guichet automatique. Vous devez vous rappeler que toutes les dépenses de moins de 10 $ représentent des dépenses courantes.

Il est essentiel que vous vous discipliniez et respectiez votre budget de dépenses courantes. Dans le cas contraire, vous devrez puiser dans votre compte réservoir et hypothéquer graduellement tous vos surplus budgétaires. Consultez le tableau 27 sur la planification budgétaire au chapitre 9.

Tableau de la gestion des liquidités

À la suite de la préparation de sa planification budgétaire, le couple Tremblay – St-Onge a réuni les données suivantes :

– revenus nets annuels	36 500 $
– dépenses fixes annuelles	18 000 $
– dépenses variables annuelles	6 600 $
– dépenses courantes annuelles	10 400 $

Une fois que le couple Tremblay – St-Onge a opté pour la période hebdomadaire, il devra transférer ou retirer à chaque période les montants afférents.

Exemple pour une période hebdomadaire :

– dépenses fixes = 18 000 $ / 52 = 346,15 $
– dépenses variables = 6 600 $ / 52 = 126,92 $
– dépenses courantes = 10 400 $ / 52 = 200 $

La différence entre les revenus hebdomadaires et les dépenses hebdomadaires devrait s'accumuler dans le compte réservoir chaque semaine. Dans le cas préalablement mentionné, l'excédent moyen sur une base hebdomadaire s'établit à 28,85 $.

36 500 $ ÷ 52 = 701,92 $
701,92 $ – (346,15 $ + 126,92 $ + 200 $) = 28,85 $

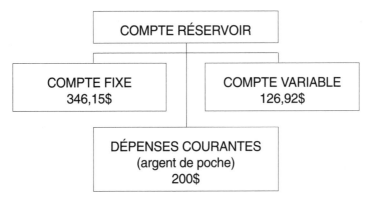

Figure 5 Gestion des liquidités

L'établissement du fonds de roulement

Après avoir acquitté vos comptes à payer et ouvert vos comptes bancaires, vous devez déterminer les montants à déposer dans vos comptes réservoir, fixe et variable afin de vous constituer un fonds de roulement pour chacun de ces comptes. Le fonds de roulement a pour but de vous permettre d'effectuer les paiements qui viendront à échéance pendant la prochaine année budgétaire et pour lesquels vous n'avez pu constituer des provisions, faute de temps. Si vous ne constituez pas ce fonds au départ, vous risquez d'être à court de liquidités pendant les premiers mois (trois à six mois) et d'avoir à reporter l'échéance de plusieurs paiements.

Mise en situation

Vous démarrez votre système de gestion et votre police d'assurance-automobile vient à échéance dans six mois. Vous avez l'habitude d'acquitter votre prime annuellement. Vous estimez celle-ci à près de 600 $.

Dépôt requis: *600 $ / 12 mois = 50 $ (par mois)*
Dépôt accumulé: 50 $ X 6 mois = 300 $

Votre système de gestion budgétaire ne vous permet pas d'accumuler un montant de 600 $ en six mois. Donc, vous devrez, pour cette fois-ci, débourser la différence, soit 300 $. Pour les années ultérieures, les montants requis seront déjà accumulés.

En prenant ainsi chaque poste budgétaire, vous serez en mesure de déterminer le besoin de liquidités requis pour constituer le fonds de roulement de votre compte fixe et de votre compte variable.

Si vous détenez suffisamment de liquidités, une façon plus simple de constituer votre fonds de roulement consiste à déposer dans vos trois comptes de banque l'équivalent d'un mois de revenus nets.

Voici comment vous pourriez partager ce montant :

Compte réservoir   20 %
Compte fixe   60 %
Compte variable   20 %

L'établissement du fonds d'urgence

De façon idéale, vous devriez, dès le départ, disposer d'un fonds d'urgence représentant au minimum un mois de revenu net. Nous suggérons un minimum de deux pour les propriétaires de résidence unifamiliale. Ce fonds, comme nous l'avons déjà vu, a pour but de vous permettre de faire face aux situations d'urgence non prévues dans votre budget et de vous éviter de vider votre fonds de roulement. À défaut de disposer de cette somme, on vous suggère d'inclure dans votre planification budgétaire au poste 1.0 un montant qui vous paraîtra raisonnable et que vous pourrez cumuler au cours de l'année. Un montant devrait apparaître à ce poste budgétaire tant que votre fonds d'urgence ne sera pas constitué en totalité.

La mise en marche du système

Maintenant que vous avez franchi toutes les étapes techniques, vous êtes prêt à utiliser votre système de gestion budgétaire. Il ne vous reste qu'à fixer une date de départ pour effectuer votre premier dépôt.

Avec l'ensemble des éléments énoncés dans les chapitres précédents, vous êtes en mesure d'atteindre maintenant vos objectifs de saine gestion. Tenir ce système à jour ne devrait pas exiger plus de vingt minutes par semaine. Vous serez peut-être tenté, à quelques reprises, de le mettre de côté. Cette réaction est tout à fait normale. Cependant, si vous persistez la première année, vous avez de grandes chances d'intégrer cette habitude pour le reste de vos jours. Nous vous encourageons à persévérer, car les bénéfices que vous en retirerez n'ont pas de prix. L'auteur peut vous en parler avec beaucoup de conviction et d'enthousiasme après avoir appliqué cette méthode depuis presque trente ans. Je vous souhaite donc bonne chance dans votre nouvelle approche de la gestion budgétaire!

Chapitre 11

L'épargne, antidote à l'endettement

Les fruits de l'épargne

Avant d'amorcer un projet d'épargne, il est essentiel d'être conscient des avantages et des bienfaits qui en découleront à plus ou moins long terme. Pour réussir un projet d'épargne, l'anticipation des plaisirs et des bénéfices doit être plus grande que les privations auxquelles je m'astreins pendant cette période.

Il m'apparaît très difficile d'épargner sans de véritables motivations. À moins d'être avare, épargner pour épargner ne produit pas beaucoup de résultats. Tôt ou tard, les fruits de l'épargne seront utilisés pour la consommation courante ou, encore, le remboursement de la dette à la consommation. Alors, quelles pourraient être ces motivations véritables? Je me risque donc à les classer à l'intérieur de diverses catégories qui m'apparaissent les plus importantes.

• La construction de sa sécurité financière ou celle de nos proches face à des événements de la vie tels que le décès, l'invalidité, les difficultés financières et la retraite.

• La réduction et l'élimination de la dette à la consommation ainsi que la dette hypothécaire.

- La planification de projets importants à court, moyen et long terme, sans le recours à la dette.

Y a-t-il des bienfaits à l'épargne? Sans aucun doute. Voici un exemple pour bien l'illustrer. Pierre et Marie rêvent depuis un an de se procurer une chaîne stéréo haut de gamme d'une valeur de 7000 $. Plutôt que d'agir impulsivement et d'augmenter le fardeau de la dette, ils décident d'épargner systématiquement pendant trois ans un montant de 200 $ par mois. Voyons, dans ce cas-ci, les fruits de l'épargne qui en découlent:

- Après s'être privés pendant trois ans pour accumuler cette épargne, ils deviennent plus conscients de l'effort financier qu'exige l'achat de biens durables.

- L'achat de la chaîne stéréo correspond réellement à leur moyen puisqu'il est payé comptant. Ils ne seront jamais préoccupés, par la suite, par des événements susceptibles d'hypothéquer leur capacité de remboursement.

- Les revenus de leur placement leur ont rapporté près de 400 $ pendant la période d'épargne de trois ans.

- Le financement de cette chaîne stéréo de 7000 $ à un taux de 14 % pendant trois ans aurait coûté 1 612 $ en intérêt.

Voilà pour les fruits de l'épargne. Peut-être seriez-vous en mesure de compléter cette liste et de renforcer ainsi votre conviction des bienfaits de l'épargne.

Épargner: est-ce encore possible de nos jours?

Tout au long de ma carrière, j'ai eu l'occasion d'animer des conférences-causeries sur la gestion budgétaire auprès de différents groupes socio-économiques. À chacune de mes présentations, j'abordais avec les participants l'importance de développer tôt l'habitude de l'épargne. Lorsque je posais la question «Épargner: est-ce encore possible de nos jours?», je suscitais souvent une discussion animée entre les tenants de l'épargne et les tenants de la consommation.

Quels que soient les groupes socio-économiques auxquels je m'adressais, il y avait toujours des individus qui défendaient le point de vue que, de nos jours, épargner est devenu une utopie. À ma grande satisfaction, je constatais qu'à l'opposé il y avait aussi des individus qui épargnaient, quel que soit leur niveau socio-économique. Cela m'a permis de réaliser que l'épargne n'était pas l'apanage de gens riches. Fréquemment, plusieurs de ces personnes à l'aise éprouvent autant de difficultés à épargner, sinon davantage que des personnes à revenus modestes.

Épargner, c'est parfois difficile; cependant, ce n'est pas pour autant une mission impossible. Pour moi, épargner équivaut en grande partie à une question de motivation et de volonté. Un participant me disait un jour: «Si j'ai un projet qui me tient à cœur et qui m'apparaît réaliste, je fais comme si mon revenu diminuait de quelques dollars par semaine et j'épargne la différence jusqu'à l'atteinte de mon but.» Un autre me disait: «Moi, quand je désire épargner pour réaliser un rêve, je me place dans la peau de quelqu'un qui a les mêmes obligations que moi tout en ayant un revenu moindre. Alors, j'épargne cette différence et je ne lâche pas.»

Les ingrédients nécessaires pour réussir à épargner

Tout comme une recette culinaire, la recette de l'épargne comporte plusieurs ingrédients. Nous avons vu dans les derniers chapitres les principaux ingrédients qui la composent. Alors, quels sont-ils? Je les classe en quatre groupes:

– la gestion efficace des ressources financières;

– la maîtrise de l'endettement;

– la détermination d'un ou de plusieurs projets significatifs;

– la volonté d'atteindre le but.

La gestion efficace des ressources financières est le pilier de base qui favorise l'épargne. Ce pilier est constitué de la gestion budgétaire, de la constitution d'un fonds de roulement, ainsi que d'un fonds d'urgence. Nous invitons le lecteur à revenir, au besoin, au chapitre 7.

Il est impensable de songer à épargner lorsque notre taux d'endettement nous étrangle. Tôt ou tard, nos épargnes seront canalisées au remboursement de la dette. Alors, la gestion efficace de la dette est un ingrédient essentiel pour nous aider à atteindre nos objectifs d'épargne. L'utilisation judicieuse des instruments de crédit permet de limiter les coûts rattachés à l'emploi du crédit et de conserver une plus grande marge de manœuvre budgétaire. Nous invitons le lecteur à revenir, au besoin, au chapitre 5.

Pour mener à terme votre objectif d'épargne, vous vous devez de déterminer un projet qui soit réaliste et réalisable. Bien entendu, si vous disposez d'un revenu modeste et que vous décidiez d'épargner pendant vingt ans pour vous acheter une Mercedes de 60 000 $, vous risquerez probablement de vous décourager avant l'atteinte de votre objectif. Donc, il importe que l'objectif soit à votre mesure et que l'effort à l'atteindre soit réaliste.

Enfin, pour clore la liste de nos «ingrédients», il faut une excellente discipline et une volonté à toute épreuve. Alors, contre vents et marées, votre voilier arrivera à bon port, tôt ou tard.

Comment planifier et réaliser un projet d'épargne?

Maintenant que vous connaissez les ingrédients nécessaires pour réussir vos projets d'épargne, voyons comment les planifier et les réaliser. D'abord, déterminez vos objectifs avec le maximum de précision. Une fois bien définis, vous devez les décortiquer en tenant compte de différents paramètres tels:

– description de l'objectif;

– priorité de l'objectif;

– délai de réalisation;
– coût de l'objectif.

Tableau 30
Projets de Claude

Description de l'objectif	Priorité	Délai de réalisation	Coût de l'objectif
Achat d'un voilier	3	3 ans	3 000 $
Acheter un mobilier de salon	2	2 ans	2 000 $
Voyage dans l'Ouest canadien	1	1 an	1 500 $

Une fois que vous aurez déterminé ces paramètres, vous n'aurez qu'à transformer le coût de chaque projet en épargne annuelle et à l'intégrer, par la suite, dans votre budget.

Exemple: coût annuel des projets de Claude

Voyage	1 500 $ / 1 an =	1 500 $
Mobilier	2 000 $ / 2 ans =	1 000 $
Voilier	3 000 $ / 3 ans =	1 000 $
Épargne annuelle à prévoir dans le budget		3 500 $[1]

Il est possible que vous ne puissiez réaliser tous vos projets dans le temps souhaité. Par conséquent, vous devrez faire un choix entre vos projets et vos dépenses de consommation ou, encore, vous pourriez en prévoir la réalisation sur une plus longue période.

Intégrez les objectifs retenus dans votre planification budgétaire

Pour Claude, une bonne façon de réaliser ses objectifs consiste à les intégrer dans sa planification budgétaire et à

---

1. Dans notre exemple, nous n'avons pas tenu compte du rendement des placements de Claude.

équilibrer son budget en conséquence. Pour cela, il pourra utiliser les postes budgétaires correspondants. Afin d'atteindre ses objectifs, Claude devra contrôler l'ensemble de ses dépenses telles que prévues dans sa planification budgétaire et s'assurer de choisir de bons véhicules d'épargne systématiques.

Épargnez par le biais de véhicules systématiques d'épargne

Même si Claude peut épargner dans ses comptes bancaires les montants nécessaires à la réalisation progressive de ses objectifs, nous lui suggérons plutôt de choisir des véhicules d'épargne qui lui procureront un rendement plus substantiel que les comptes en banque traditionnels.

Une bonne façon d'épargner en vue de la réalisation d'un projet spécifique consiste à utiliser les formules d'épargne avec prélèvement bancaire automatique. Ainsi, dans le cas de Claude, l'institution financière qu'il aura choisie afin de capitaliser ses épargnes pourra prélever systématiquement dans son compte en banque, à date fixe, les montants déterminés. Dans son cas, le montant mensuel qui sera prélevé s'établit à 291,66 $, soit 3 500 $ / 12 mois.

Le mode d'épargne systématique est sans aucun doute une excellente formule d'épargne, car il encourage à épargner avec une régularité à toute épreuve.

Choisir le bon produit d'épargne et de placements

Pour faciliter l'atteinte de votre objectif, il est essentiel de faire un choix judicieux de placements. Plus votre horizon de placements est court, plus vous devez privilégier des placements à risque faible. À l'opposé, plus votre horizon de placement est long, plus vous pouvez vous permettre de considérer des placements à risque plus élevé.

Le monde des placements est relativement complexe: vous ne devriez pas vous y aventurer sans les conseils d'une personne-ressource compétente. Une des premières étapes de la rencontre avec votre conseiller consistera à lui expliquer clairement vos objectifs d'épargne et de placements. Ce dernier devra, avant de vous orienter, établir avec vous votre profil d'investisseur. Ce profil lui permettra d'évaluer votre degré de tolérance aux risques et, par la suite, établir avec vous une véritable politique de placements.

Un dernier conseil: prenez le temps d'atteindre votre objectif d'épargne sans courir de risques inutiles. Si vous ne possédez pas suffisamment de connaissances, évitez les achats en ligne, les courtiers à escompte, etc. Choisissez un bon conseiller qui vous aidera à atteindre plus sûrement vos objectifs.

Conclusion

Conclure ou ne pas conclure: là est toute la question! Dans cet ouvrage, j'ai cherché à atteindre deux objectifs: sensibiliser le lecteur aux aspects positifs du non-endettement et le convaincre d'épargner régulièrement et systématiquement. Pour y arriver, nous nous sommes dotés de connaissances, d'outils et de moyens.

Ce livre est le fruit de près de 35 ans d'expérience dans le champ des finances personnelles. Je remercie les personnes qui ont partagé leur savoir avec moi pendant toutes ces années et je suis heureux de transmettre aux lecteurs les connaissances acquises au cours de ces années de carrière.

Je souhaite que vous puissiez en faire de même avec vos proches après la lecture de cet ouvrage. Alors, chers lecteurs, je vous laisse le soin de conclure...

Lexique

Actif:
> Partie du bilan financier représentant vos avoirs, tels les liquidités, les placements et les biens personnels.

Bilan financier:
> Outil de gestion qui mesure la croissance ou la décroissance financière.

Budget:
> Exercice qui permet de planifier l'allocation des revenus entre les divers postes budgétaires, et ce, en fonction des valeurs et des objectifs personnels.

Carnet de position:
> Petit carnet qui permet de tenir à jour vos transactions bancaires et de connaître en tout temps votre solde.

Compte fixe:
> Compte bancaire servant à acquitter les dépenses fixes planifiées dans le budget.

Compte réservoir:
> Compte bancaire ayant pour objet de canaliser l'ensemble des revenus, d'accumuler les surplus, d'alimenter

les comptes fixes et variables et de permettre un prélèvement pour les dépenses courantes (argent de poche).

Compte variable :

Compte bancaire servant à acquitter les dépenses variables planifiées dans le budget.

Contrats de vente à tempérament :

Contrat comportant un lien généralement offert par l'entremise des marchands.

Dépenses courantes :

Débours en argent comptant qui ne sont pas comptabilisés par le système budgétaire.

Équilibre budgétaire :

Équilibre entre les revenus et les dépenses.

Fonds de roulement :

Liquidités bancaires accumulées afin de rencontrer, en tout temps, les besoins de consommation ainsi que les engagements financiers budgétisés.

Fonds d'urgence :

Liquidités accumulées afin de faire face aux situations d'urgence.

Gestion budgétaire :

Ensemble d'éléments (Système) favorisant une gestion efficace de vos ressources financières.

Kiting :

Emprunt sur une carte de crédit afin d'effectuer le paiement sur une autre carte de crédit.

Marge de crédit:

Instrument de crédit qui permet un pouvoir d'emprunt préautorisé continu et qui se renouvelle au fur et à mesure que vous effectuez vos versements.

Marge de crédit avec garantie hypothécaire:

Instrument ressemblant en tout point à la marge de crédit personnelle, à la différence qu'elle est consentie avec une garantie hypothécaire sur la propriété.

Passif:

Partie du bilan financier représentant vos dettes à court, à moyen et à long terme.

Planification budgétaire:

Distribution de vos revenus entre l'ensemble des postes budgétaires en fonction des objectifs de vie que vous vous êtes donnés.

Prêt hypothécaire:

Contrat conclu entre le prêteur et l'acheteur par lequel le premier prête de l'argent au deuxième pour l'achat d'une propriété, moyennant une garantie sur celle-ci.

Prêts personnels:

Emprunts par des individus auprès d'institutions financières ou de particuliers.

Prêt sur la police d'assurance-vie:

Genre de prêt permettant d'emprunter auprès de votre assureur un montant ne dépassant généralement pas 90 % de la valeur de rachat de votre police.

Principe de conservatisme:

Principe comptable qui consiste à établir une valeur estimative réaliste de l'ensemble de vos biens.

Principe de la continuité:

Principe comptable qui consiste à ne pas tenir compte de diverses éventualités tels que le décès, l'invalidité, le divorce, la faillite ou toute autre situation qui entraînerait une liquidation forcée du patrimoine familial.

Principe de la divulgation:

Principe comptable qui consiste à intégrer dans votre bilan toutes les informations pertinentes qui seraient susceptibles de modifier votre image financière personnelle.

Principe de l'entité:

Principe comptable qui précise sur quelle base le bilan financier reposera, par exemple, bilan personnel, bilan de couple, bilan d'entreprise, etc.

Protection à découvert:

Forme de prêt préautorisé qui permet à votre institution bancaire d'encaisser vos chèques lorsque vous n'avez pas les fonds nécessaires.

Système de gestion budgétaire:

Ensemble d'éléments qui favorisent une saine gestion de ses revenus.

Valeur nette:

Différence entre le total de vos avoirs et l'ensemble de vos dettes représentant votre valeur financière réelle.

Liste des tableaux et des figures

DATE DE RETOUR
Veuillez rapporter ce volume avant ou
à la dernière date ci-dessous indiquée.

31/12/03	2/05/06	
24/02/04	16/05/06	
9/03/04		
13/11/04		
4/02/05		
17/02/05		
15/04/05		
07/02/06		
22/02/06		
3/3/06		
16/03/06		

No 16 – "Bibliofiches"

IMPRIMÉ AU CANADA